北大版新一代对外汉语教材·世界汉语教材系列

新标准汉语
New Standard Chinese

初级篇　Elementary Level

第二册　Book 2

主　编：方　铭
副主编：刘松江
顾　问：仲哲民

北京大学出版社
北　京

图书在版编目（CIP）数据

新标准汉语. 初级篇. 第二册 / 方铭主编. —北京：北京大学出版社，2004.11
（北大版新一代对外汉语教材·世界汉语教材系列）
ISBN 7-301-07778-5

Ⅰ. 新… Ⅱ. 方… Ⅲ. 汉语－对外汉语教学－教材 Ⅳ. H195.4

中国版本图书馆 CIP 数据核字（2004）第 101477 号

书　　　名：新标准汉语 初级篇（第二册）
著作责任者：方　铭　主编
责 任 编 辑：刘　正
标 准 书 号：ISBN 7-301-07778-5/H·1125
出 版 发 行：北京大学出版社
地　　　址：北京市海淀区成府路 205 号　100871
网　　　址：http://cbs.pku.edu.cn
电　　　话：邮购部 62752015　发行部 62750672　编辑部 62752028
电 子 信 箱：lozei@126.com
印　刷　者：北京大学印刷厂
经　销　者：新华书店
　　　　　　787 毫米×1092 毫米　16 开　17.25 印张　400 千字
　　　　　　2004 年 11 月第 1 版　2004 年 11 月第 1 次印刷
定　　　价：85.00 元（附赠 3 张 CD）

Introduction to New Standard Chinese

—Suitable for High School, University and Adult Learners

Elementary Level · 2 Book/CDs 40 Lessons

Elementary Level teaches the vocabulary and grammar appropriate for HSK(Hanyu Shuiping Kaoshi, Chinese Proficiency Test) Level 1–3. In addition to basic words and practical sentence patterns, lesson 1–10 also teaches *Pinyin*, to help new learners with tones and rules for pronunciation.

Main Contents of Each Lesson:

Lessons 1-10

(1) **Conversation and Text:** Practical, easy-to-command phrases and commonly used vocabulary are introduced. Texts are displayed in Chinese characters , *Pinyin* and English translation.

(2) **New Words:** At this level, learners master (on average) 20 new words per lesson with the focus on use of the words. All new words are displayed in simplified Chinese characters and traditional Chinese characters (in brackets) for reference. *Pinyin*, part of speech and English translation are also provided.

(3) ***Pinyin*:** *Pinyin* is taught first by focusing on the four tones. Beginning with single, then dual and finally, multi-syllables, rules of pronunciation are clearly explained.

(4) **Pronunciation Practice:** Exercises are provided to train the ear to distinguish tones, finals and initials.

(5) **Notes:** Additional materials and explanations of *Pinyin* are provided both in Simplified Chinese and English.

Lessons 11-40

(1) **Conversation and Text:** Dialogue and text are based on the topics, with focus on the communication function.

(2) **Grammar:** Sentences with a verb as the predicate, sentences with an adjective as the predicate, sentences with a noun as the predicate, four different types of interrogative sentences, double objects, auxiliary verbs, six types of complements, object position, preposition structure, and more are all covered.

(3) **Scenes:** Settings in airport, railway station, hotel, bank, post office, classroom, dining hall, restaurant, cinema, hospital and friends' home, etc. are included.

(4) **Communication Items:** Greetings, introductions, asking for the time, date, directions, talking about the weather, hobbies, debates, going to the hospital, the cinema, buying tickets, exchanging money, seeking advice,etc.are included.

(5) **Exercises:** Comprehension exercises to see how well the students understand the textstanding of the text .

(6) **New Words:** Up to 40 new words in each lesson.

(7) **Grammar Notes:** Explanations of Chinese grammar.

(8) **Grammar Exercises:** The exercises are designed based on the grammar in each lesson, such as "Fill in the Blanks", "Restructuring Sentences", "Making words", "making Sentences" and more.

(9) **Oral Practice:** Oral practice includes imitation, substitution, selection, and collocation sentence making,etc.

(10) **Readings:** 1–2 complementary text materials are accompanied with simplifed Chinese, *pinyin* and English(new words from these sections are provided separately). "Choose the Right Answer" and "Answer the Questions" are designed after each reading.

Students can master 800–900 new words and phrases, 1000–1500 Chinese characters after fulfilment of elementary Chinese learning task.

Intermediate Level · 2 Book/CDs 40 Lessons

Intermediate level can advance to the vocabulary and grammar of HSK level 1–6. Reading , listening, speaking and writing skills are expected to be improved by focusing on reading, litsening comprehension and oral practice.

Main contents of Each Lesson:

(1) **Text:** Each lesson contains both a dialogue and narration provided on a single topic or a long narration. Texts are displayed in simplified and traditional Chinese with English translation.

(2) **Grammar:** Different use of auxiliary word "了", pivotal sentences, fractions and percentages, "把" sentences, passive voice, comparative forms, reduplication of adjectives, etc.

(3) **Scenes:** Settings in airport, railway station, hotel, bank, post office, classroom, dining hall, restaurant, cinema, hospital and friends' home, etc. are included.

(4) **Communication Items:**Inquiry, appreciation, interview, suggestion, discussion, debate, etc.

(5) **Exercises:** Comprehension exercises to see how well the students understand the text.

(6) **New Words:**20–50 new words per lesson.

(7) **Grammar Notes:**Explanations of designed the Chinese grammar.

(8) **Grammar Exercises:** The exercises are designed based on the grammar in each lesson, such as "Fill in the Blanks", "Restructuring Sentences", "Creating Phrases", "Creating Sentences", etc.

(9) **Oral Practice:** Oral practice includes imitation, substitution, selection, and collocation sentences making,etc.

(10) **Readings:** 1–2 complementary text materials are accompanied with simplified Chinese, are

provided for use in conjunction with the main text (new words are given separately), combined with exercises such as "Choose the Right Answer" and "Answer the Questions".

Students can master 1200–1400 new words and phrases, 2500–3000 Chinese characters after fulfilment of Intermediate Chinese learning task.

The requirements of the USA SAT-II test have also been taken into account in the design of the exercises for the convenienceof students to take the SAT-II Chinese (foreign language) test in US.

Advanced Level · 2 Book/ CDs 20 Lessons

After Advanced Chinese learning, students can achieve HSK level 6–8,orbe eligible for applying for graduate school in Chinese university, or work at Chinese language environment. Oral expression and composition are emphasized in advanced Chinese learning as well as strengthening reading and vocabulary training, Chinese culture and literature are incorporated into teaching and learning.

Main Contents of Each Lesson:

(1) **Text:** articles representing different writing styles are included,traditional Chinese is accompanied in the section of new words.

(2) **New Words:** vocabulary is strenthened.

(3) **New Words and Phrases Explained in Chinese:** Easy-to-understand Chinese-Chinese explanation of New words, phrases and idioms are in brief.

(4) **Writing Tutorials:** systematic knowledge of practical Chinese writing, including basic elements of writing and business writing.

(5) **Writing Practice:** systematic training of practical Chinese writing, including basic elements of writing and business Chinese writing.

(6) **Oral Practice:** Oral practice is designed according to the topic of the text .

(7) **Group Study:** Teamwork assignments on foster students' research ability in Chinese, improve students' spoeaking skill.

新标准汉语介绍

—— 适合高中、大学和成年人使用

初级 2册 教材(含CD) 共40课

主要包括汉语水平考试(HSK) 1-3级的词汇和语法。除了基本的词汇和实用句型以外，1-10课以拼音为主，重点介绍汉语语音规律，帮助初学者掌握声调和发音规则。

每课的主要内容:

1-10课

(1) 对话和课文：介绍实用、易掌握的短语和常用词汇。课文内容以汉字、拼音和英文对照三种形式同时呈现。

(2) 生词：每课需掌握的词汇量(平均)为20个左右。教学重点是对词汇的实际应用。每个生词都会以简体和繁体汉字（简体后括号内）显示，并注明拼音、词性、英文翻译。

(3) 拼音: 作为初学者的语音工具，初学拼音时的重点是四个声调。发音学习从单音节开始，然后逐步过渡到双音节和多音节。拼音规则和练习都有清楚说明。

(4) 语音练习：包括听力练习，辨别声调、韵母和声母的练习。

(5) 注释：有关课程的附加资料和汉语语音的附加说明以简体汉字和英文两种形式呈现。

11课-40课

(1) 对话和课文：以话题为主的对话和课文，重视交际中的语用。

(2) 语法：包括动词谓语句；形容词谓语句；名词谓语句；疑问句的四种主要形式；双宾语；能愿动词；六种补语；宾语结构；介词结构等。

(3) 具体场景：包括在飞机场、火车站、饭店、银行、邮局、教室、食堂、饭馆、电影院、医院、朋友家等日常生活中的场所。

(4) 交际功能项目：包括问候、介绍、问时间、问日期、问路、谈天气、谈爱好、争论问题、看病、看电影、买票、换钱、寻求建议等。

(5) 课文练习：对每课课文内容理解程度的练习。

(6) 生词：每课需掌握的生词增加到40个左右。
(7) 语法注释：讲解中文语法构成。
(8) 语法练习：根据每课的所学语法内容设计练习，包括填空、调整词序、组词语、造句等。
(9) 口语练习：包括模仿、替换、选择、搭配词语、词组、句子等练习。
(10) 阅读：每课有1-2篇配合课文的阅读材料，配有拼音和英文翻译(其中的生词单独列出)。每篇阅读文章都配有练习，包括选择题和问答题等。

完成初级，学生能掌握800-900个生词和短语，1000-1500个汉字。

中级 2册 教材(含CD) 共40课

中级在初级的基础上，进一步学习与汉语水平考试(HSK) 1-6级相适应的词汇和语法。课程主要从听、说、读、写四个方面提高学生的汉语交际能力，阅读理解，听力和口语是本阶段的教学重点。

每课的主要内容：
(1) 课文：第一册包括同一话题的对话和课文，第二册每课课文为一篇较长的叙述体课文。课文提供简体汉字和英文翻译。
(2) 语法：包括助词“了”的多种用法；兼语句；分数和百分数；“把”字句；被动句；比较级和形容词的重叠等。
(3) 具体场景：包括在校园、医院、体育馆、商店、接待处、办公楼、饭店、旅馆等日常场所。
(4) 交际功能项目：包括询问、致谢、面试、建议、讨论、争论等。
(5) 课文练习：测试对每课课文内容的理解程度。
(6) 生词：每课需掌握的生词20-50个。
(7) 语法注释：讲解中文语法构成。
(8) 语法练习：根据每课的所学语法内容设计练习，包括填空、调整词序、组词语、造句等。
(9) 口语练习：包括模仿、替换、选择、搭配词语、词组、句子等练习。
(10) 阅读：每课有1-2篇配合课文的阅读材料，配有拼音和英文翻译(其中的生词单独列出)。每篇阅读文章都配有练习，包括选择题和问答题等。

完成中级，学生能掌握1200-1400个生词和短语，2500-3000个汉字。
中级的练习及综合测试部分的设计也参考了美国 SAT-II 中的汉语考试要求，以便于学生参加美国 SAT-II 的汉语（外语）考试。

高级 2册 教材(含CD) 共20课

学完高级，学生可达到汉语水平考试(HSK) 6-8 级的水平，可报考中国大学的研究生院，也可在以汉语为主要语言的工作环境里工作。高级以口语表达和写作为教学重点，同时深化阅读和词汇技能，并融合了中国的文化和文学知识。

每课的主要内容：

(1) 课文：包括不同写作风格的文章。每篇文章生词部分都配有繁体汉字。
(2) 生词：深化词汇的理解和使用。
(3) 生词和词语的汉语注释：用中文对生词、短语和成语进行简单易懂的解释。
(4) 写作指导：系统介绍实用汉语写作知识，包括从基本写作的要素到商务汉语写作。
(5) 写作练习：系统的实用汉语写作练习，包括从基本写作的要素到商务汉语写作。
(6) 口语练习：根据课文的话题而设计的口语表达练习。
(7) 小组学习：学习小组可以培养学生用汉语进行研究的能力，同时进一步提高学生的口语表达能力。

目 录

Contents

第二十一课 打电话

diàn huà líng shēng
（电话铃声）

wèi nín zhǎo shéi
A：喂！您找谁？

wǒ zhǎo wáng xiá
B：我找王霞。

tā gāng chū qu wǎn shang cái néng huí lai
A：她刚出去，晚上才能回来。

zāo le
B：糟了。

nín yǒu shén me shì wǒ kě yǐ zhuǎn gào tā
A：您有什么事？我可以转告她。

wǒ míng tiān yào chū chāi qǐng nín gào su tā wǒ bù néng qù tā jiā le
B：我明天要出差。请您告诉她我不能去她家了。

hǎo de nín de diàn huà hào mǎ shì duō shao
A: 好的，您的电话号码是多少？

wǒ de diàn huà shì liù èr sān yāo bā bā qī sì tài xiè xie nǐ le
B: 我的电话是6 2 3 1 8 8 7 4。太谢谢你了！

bú kè qi
A: 不客气！

diàn huà líng shēng
（电话铃声）

wèi nín zhǎo shéi
A: 喂！您找谁？

qǐng wèn lǐ wén jiào shòu zài ma
B: 请问，李文教授在吗？

wǒ jiù shì nín nǎ wèi
A: 我就是，您哪位？

wǒ shì xué xiào jiào wù chù wǒ xìng lín
B: 我是学校教务处，我姓林。

nín yǒu shén me shì
A: 您有什么事？

yǒu gè zhòng yào de xué shù yán tǎo huì qǐng nín cān jiā kě yǐ ma
B: 有个重要的学术研讨会，请您参加。可以吗？

shén me shí jiān
A: 什么时间？

xià xīng qī sì hé xīng qī wǔ yí gòng liǎng tiān shí jiān huì yì zài tiān jīn nán kāi dà xué jǔ xíng
B: 下星期四和星期五，一共两天时间。会议在天津南开大学举行。

wǒ kě yǐ cān jiā
A: 我可以参加。

xué xiào yǒu zhuān chē sòng nǐ men qù shí sù wèn tí yóu wǒ men tǒng yī jiě jué nín bú yòng cāo xīn le
B: 学校有专车送你们去，食宿问题由我们统一解决，您不用操心了。

nín de diàn huà hào mǎ shì duō shao
A: 您的电话号码是多少？

lìu líng sān yāo wǔ bā sì sì
B: 6 0 3 1 5 8 4 4。

xiè xie yǒu shì wǒ men suí shí lián xì
A: 谢谢，有事我们随时联系。

生词 New Words

1.	电话(電話)	*n.*	diànhuà	telephone
2.	铃(鈴)	*n.*	líng	bell
3.	声(聲)	*n.*	shēng	sound
4.	刚(剛)	*adv.*	gāng	just; just now
5.	出去(出去)		chū qù	go out
6.	回来(回來)		huí lái	come back
7.	糟(糟)	*adj.*	zāo	bad; terrible
8.	转告(轉告)	*v.*	zhuǎngào	pass on a message
9.	明天(明天)	*n.*	míngtiān	tomorrow
10.	告诉(告訴)	*v.*	gàosu	tell
11.	号码(號碼)	*n.*	hàomǎ	number

12. 教授(教授)	*n.*	jiàoshòu	professor
13. 教务处(教務處)	*n.*	jiàowùchù	administration office
14. 重要(重要)	*adj.*	zhòngyào	important
15. 学术(學術)	*n.*	xuéshù	academic research
16. 研讨会(研討會)	*n.*	yántǎohuì	seminar
17. 参加(參加)	*v.*	cānjiā	join; participate in
18. 时间(時間)	*n.*	shíjiān	time
19. 下(下)	*adj.*	xià	next*(in time and order)*
20. 一共(一共)	*adv.*	yígòng	altogether
21. 会议(會議)	*n.*	huìyì	meeting
22. 举行(舉行)	*v.*	jǔxíng	hold
23. 专车(專車)	*n.*	zhuānchē	special car
24. 食宿(食宿)	*n.*	shísù	accommodations
25. 问题(問題)	*n.*	wèntí	problem; question
26. 由(由)	*prep.*	yóu	by
27. 统一(統一)	*adj.*	tǒngyī	united
28. 解决(解決)	*v.*	jiějué	solve
29. 用(用)	*v.*	yòng	use
30. 操心(操心)	*v.*	cāoxīn	worry about
31. 随时(隨時)	*adv.*	suíshí	anytime
32. 联系(聯繫)	*v.*	liánxì	contact; keep in touch with

专有名词 Proper Nouns

1.	李文(李文)	Lǐ Wén	Li Wen *(name of a person)*
2.	林(林)	Lín	Lin *(surname of a person)*
3.	王霞(王霞)	Wáng Xiá	Wang Xia *(name of a person)*
4.	南开大学 (南開大學)	Nánkāi Dàxué	Nankai University
5.	天津(天津)	Tiānjīn	Tianjin *(city)*

成语和常用语 Idioms and Common Expressions

1.	喂!(喂!)	Wèi!	Hello! *(used on the telephone)*
2.	不客气。(不客氣。)	Bú kèqi.	You are welcome.

注释 Notes

一、号码的读法 The Pronunciation of Numbers

汉语号码中的数字需要一一读出。有时为了区分"1"和"7"，将"1"读成"yāo"。这样的号码包括电话号码、房间号码、公共汽车号码等。

In Chinese, digits in numbers such as telephone numbers, room numbers and bus numbers need to be read one by one. Sometimes "1" is pronounced as "yāo" in order to distinguish between "1" and "7".

她的电话号码是 65304118(liù wǔ sān líng sì yāo yāo bā)
我住在115号房间(yāo yāo wǔ)
120路公共汽车到天安门吗? (yāo èr líng)

二、"告诉"+双宾语 "告诉"+ Double Objects

汉语里有些动词后边可以带两个宾语。通常前一个表示人，后一个表示物。我们学过的"告诉，卖，买，送"都是这样的动词。

Some verbs in Chinese can have two objects. Usually the first object indicates a person, and the second one indicates a thing. "告诉，卖，买，送" are such verbs.

您可以告诉我他的电话号码吗?
我教他英文，他教我中文。
他给我一本书。
我妹妹生日的时候，我送她一盒巧克力。

练习 Exercises

一、模仿 Imitation

1. 我可以转告她。

2. 请您告诉她我不能去她家了。
3. 您的电话号码是多少？
4. 请问，李文教授在吗？
5. 我的电话是62318874。

二、替换 Substitution

1. 请你告诉我你的电话号码。

爱好　　工作单位　　学习情况　　身体情况　　问题

2. 我买三斤 苹果。

一棵	白菜	半斤	茶叶
一块儿	冬瓜	两根	黄瓜
半斤	荔枝	五斤	苹果
一个	西瓜	三斤	西红柿
四斤	香蕉		

3. 我送她一些 草莓。

一套	邮票	一本	书
一些	资料	一幅	山水画
一条	围巾	一条	裙子
一件	毛衣	两件	衬衣
一个	西瓜	半斤	茶叶

三、请读出下列号码 Read the Following Numbers Aloud

2016075	8458732	3258468	3254879
2548796	3215483	2548032	1002347

英文翻译 English Translation

(The telephone rings.)

A: Hello, who do you want to speak with?

B: I want to speak with Wang Xia.

A: She is out right now, and will not be back until this evening.

B: That is too bad.

A: Never mind, I will pass on a message to her.

B: Thanks a lot.

A: You are welcome.

B: I will be on a business trip tomorrow. Please tell her I cannot visit her.

A: All right, what is your phone number?

B: My number is 6231 8874. Thank you so much!

A: You are welcome.

(The telephone rings.)

A: Hello, who do you want to speak with?

B: Is Professor Li there?

A: This is Li Wen. Who is this?

B: This is Lin, from the administration office.

A: What is the matter?

B: There will be an important seminar, would you like to attend?

A: When?

B: Next Thursday and Friday. The seminar is to be held at Nankai University in Tianjin.

A: I would like to go.

B: The school will send a special car to pick you up, and we will arrange the accommodations as well. Do not worry about that.

A: What is your phone number?

B: It is 6031 5844.

A: Thank you. Be in touch if you have a problem.

第二十二课 去图书馆

22

xiào yuán lǐ
（校园里）

nǐ qù nǎr
A：你去哪儿？

wǒ qù tú shū guǎn nǐ ne
B：我去图书馆。你呢？

wǒ yě qù tú shū guǎn
A：我也去图书馆。

nǐ qù jiè shū ma
B：你去借书吗？

huán shū zài jiè jǐ běn
A：还书，再借几本。

jiào shì lǐ
（教室里）

zhè xiē dōu shì tú shū guǎn de shū ma
A：这些都是图书馆的书吗？

duì zhè xiē dōu shì
B：对，这些都是。

zěn me jiè shū
A：怎么借书？

píng jiè shū zhèng jiè
B：凭借书证借。

tú shū guǎn wài mian
（图书馆外面）

nǐ qù jiè shū ma
A：你去借书吗？

bú shì wǒ qù yuè lǎn shì shàng zì xí
B：不是，我去阅览室上自习。

nǐ cháng qù nà lǐ shàng zì xí ma
A：你常去那里上自习吗？

wǒ měi tiān xià wǔ dōu qù
B：我每天下午都去。

yuè lǎn shì zěn me yàng
A：阅览室怎么样？

hěn dà yě hěn gān jìng
B：很大，也很干净。

nàr rén duō bu duō
A：那儿人多不多？

rén fēi cháng duō dàn shì hěn ān jìng
B：人非常多，但是很安静。

生词 New Words

1.	那儿(那兒)	*pron.*	nàr	there
2.	图书(圖書)	*n.*	túshū	books
3.	还(還)	*v.*	huán	return *(something borrowed)*
4.	借(借)	*v.*	jiè	borrow
5.	凭(憑)	*v.*	píng	based on
6.	借书证(借書證)	*n.*	jièshūzhèng	library card
7.	阅览室(閲覽室)	*n.*	yuèlǎnshì	the reading room
8.	自习(自習)	*v., n.*	zìxí	study by oneself; independent study
9.	干净(乾凈)	*adj.*	gānjìng	clean

阅读 Reading

xué xiào tú shū guǎn
学校图书馆

wǒ men xué xiào xī bian yǒu yí zuò sì céng jiàn zhù nà jiù shì xué xiào de
我们学校西边有一座四层建筑，那就是学校的

tú shū guǎn tú shū guǎn hěn dà yě hěn piào liang mén kǒu yǒu yí piàn lǜ cǎo
图书馆。图书馆很大，也很漂亮。门口有一片绿草
dì cǎo dì zhōng jiān shì yí ge shuǐ chí tú shū guǎn li yǒu hěn duō tú shū
地，草地中间是一个水池。图书馆里有很多图书，
yǒu zhōng wén shū yě yǒu wài wén shū zhè xiē shū dōu kě yǐ jiè
有中文书，也有外文书，这些书都可以借。

tú shū guǎn hái yǒu sì ge yuè lǎn shì nàr yǒu xǔ duō bào zhǐ hé zá
图书馆还有四个阅览室，那儿有许多报纸和杂
zhì měi tiān dōu yǒu hěn duō xué sheng zài nàr dú shū xué xí lóu shàng hái
志，每天都有很多学生在那儿读书、学习。楼上还
yǒu shì tīng yuè lǎn shì xué sheng kě yǐ zài nàr tīng wài yǔ lù yīn tí gāo
有视听阅览室，学生可以在那儿听外语录音，提高
tīng lì shuǐ píng jì suàn jī jiào shì yě zài tú shū guǎn xué sheng kě yǐ zài nàr
听力水平。计算机教室也在图书馆，学生可以在那儿
xué xí diàn nǎo zhī shi hái kě yǐ miǎn fèi shàng wǎng
学习电脑知识，还可以免费上网。

英文翻译 English Translation

The Library in Our School

To the west of our school there is a four-storey building. It is our library. The library is very large and beautiful. There is a lawn in front of the gate and in the middle of the lawn there is a pond. There are many kinds of books in the library, including Chinese books, and books in foreign languages. They all can be borrowed.

There are four reading rooms in the library, where there are a lot of newspapers and magazines. Many students read and study there every day. There is an audio-visual reading room upstairs, where students can listen to the recordings to improve their listening comprehension. The computer room is also inside the library, where students can learn about computers and use the Internet, free of charge.

参考词语 Reference Words

1.	座(座)	*m.*	zuò	*a measure word for a building, a mountain, etc.*
2.	建筑(建築)	*n.*	jiànzhù	architecture; building
3.	漂亮(漂亮)	*adj.*	piàoliang	pretty
4.	门口(門口)	*n.*	ménkǒu	entrance
5.	片(片)	*m.*	piàn	piece
6.	绿(綠)	*adj.*	lǜ	green
7.	草地(草地)	*n.*	cǎodì	lawn
8.	中间(中間)	*n.*	zhōngjiān	middle
9.	水池(水池)	*n.*	shuǐchí	pond; pool
10.	外文(外文)	*n.*	wàiwén	foreign language
11.	楼上(樓上)		lóu shàng	upstairs
12.	视听(視聽)	*n.*	shìtīng	audio-visual; seeing and hearing
13.	外语(外語)	*n.*	wàiyǔ	foreign language
14.	录音(録音)	*n.*	lùyīn	recording
15.	学习(學習)	*v.*	xuéxí	study
16.	电脑(電腦)	*n.*	diànnǎo	computer
17.	知识(知識)	*n.*	zhīshi	knowledge
18.	免费(免費)	*adj.*	miǎnfèi	free of charge
19.	上网(上網)		shàng wǎng	go online

注释 Notes

一、疑问代词“怎么” Interrogative Pronoun “怎么”

用疑问代词“怎么”提问动作的方式。

The following is the way to ask a question about an action using the interrogative pronoun “怎么”.

问题 Question	回答 Answer
怎么借书?	凭借书证借。
明天你怎么去王府井?	坐车去。
怎么能学好汉语?	多听，多说，多问问题。
你知道怎么报名参加 HSK 考试吗?	对不起，我也不知道，你去问问王老师吧。

二、能愿动词“可以” Modal Verb “可以”

能愿动词用作句子谓语时，后边要有一般动词。能愿动词“可以”表示可能或条件允许，否定时一般用“不能”。

If a modal verb is the main predicate in a sentence, usually it is followed by a common verb. The modal verb “可以” indicates possibility or whether the action of the common verb is allowed by the conditions. Usually “不能” indicates the condition of objection.

肯定形式 Positive Forms	否定形式 Negative Forms
我明天可以来。	我明天不能来。
外边可以抽烟。	教室里不能抽烟。
学生们可以在阅览室听录音。	学生们不能在阅览室听录音。

需要简短回答时常说“不行”或者“不成”。

Usually, when a brief answer is needed, Chinese use “不行” or “不成”.

练习 Exercises

一、模仿 Imitation

1. 怎么借书？
2. 凭借书证借。
3. 你常去阅览室上自习吗？
4. 这些书都可以借。
5. 学生们可以在那里听外语录音。

二、替换 Substitution

1. 你怎么去王府井？
   我坐车去。

故宫	打车	北海	骑自行车
十三陵	开车	景山	走路
颐和园	坐车	西直门	坐地铁
圆明园	坐朋友的车		

2. 这儿可以抽烟吗？
这儿不能抽烟。/ 这儿可以抽烟。

锻炼 睡觉 滑冰 游泳 聊天 喝茶
打篮球 休息 谈话 卖香蕉 借书

三、选择下列副词填入句子中适当的位置
Choose the Corresponding Adverbs to Fill in the Following Sentences

很 真 都 还 常 再 就 马上 也

1. 我去还书，（ ）借几本。
2. 我（ ）去图书馆。
3. 我每天下午（ ）去。
4. 阅览室（ ）大，（ ）很干净。
5. 那（ ）是学校的图书馆。
6. 有中文书，（ ）有外文书，这些书（ ）可以借。
7. 楼上（ ）有视听阅览室。
8. 学生们可以在这里学习电脑知识，（ ）可以免费上网。
9. 我喜欢游泳，（ ）喜欢滑冰。

英文翻译 English Translation

(On the campus)

A: Where are you going?

B: I am going to the library. How about you?

A: I am going there, too.

B: Are you going to borrow some books?

A: To return and borrow some books.

(In the classroom)

A: Are all of these books borrowed from the library?

B: Yes, they are.

A: How do you borrow a book?

B: You use a library card.

(Outside the library)

A: Are you going to borrow some books?

B: No, I want to go to the reading room to study.

A: Do you go there often to study?

B: I go there every afternoon.

A: "Tell me about the reading room.

B: It is quite big and clean.

A: Are there many people in the reading room?

B: Yes, but it is very quiet there.

23

第二十三课　介绍北京

nǐ shú xī běi jīng ma
A：你熟悉北京吗？

hái bú tài shú xī nǐ néng gěi wǒ jiè shào jiè shào ma
B：还不太熟悉，你能给我介绍介绍吗？

dǎ kāi yì zhāng běi jīng dì tú
（打开一张北京地图）

nǐ kàn zhè shì běi jīng de zhōng xīn zhè shì tiān ān mén zhè shì gù gōng
A：你看，这是北京的中心。这是天安门，这是故宫。

gù gōng dōng bian shì shén me dì fang
B：故宫东边是什么地方？

nà shì wén huà gōng tiān ān mén xī bian shì zhōng shān gōng yuán
A：那是文化宫，天安门西边是中山公园。

tiān ān mén qián bian yě shì gōng yuán ma
B：天安门前边也是公园吗？

bú shì nà shì tiān ān mén guǎng chǎng guǎng chǎng dōng bian shì lì shǐ bó wù guǎn xī bian shì rén mín dà huì táng

A：不是，那是天安门广场。广场东边是历史博物馆，西边是人民大会堂。

tiān ān mén qián bian shì yì tiáo dà jiē ma

B：天安门前边是一条大街吗？

duì zhè jiù shì cháng ān jiē cháng ān jiē shì běi jīng zuì kuān de jiē

A：对，这就是长安街。长安街是北京最宽的街。

yǐ hòu yǒu gōng fu nǐ dài wǒ yì qǐ guàng guang

B：以后有工夫，你带我一起逛逛。

méi wèn tí yǒu shí jiān yí dìng dài nǐ qù

A：没问题，有时间一定带你去。

生词 New Words

1.	熟悉(熟悉)	*adj.*	shúxī	familiar
2.	打开(打開)		dǎ kāi	open
3.	地图(地圖)	*n.*	dìtú	map
4.	广场(廣場)	*n.*	guǎngchǎng	square
5.	宽(寬)	*adj.*	kuān	wide
6.	街(街)	*n.*	jiē	street
7.	以后(以後)	*n.*	yǐhòu	later
8.	带(帶)	*v.*	dài	lead; take

专有名词 Proper Nouns

1.	天安门(天安門)	Tiān'ānmén	Tian An Men
2.	文化宫(文化宮)	Wénhuàgōng	the Cultural Palace
3.	中山公园(中山公園)	Zhōngshān Gōngyuán	Zhongshan Park
4.	历史博物馆(歷史博物館)	Lìshǐ Bówùguǎn	Historical Museum
5.	人民大会堂(人民大會堂)	Rénmín Dàhuìtáng	the Great Hall of the People
6.	长安街(長安街)	Cháng'ān Jiē	Chang'an Street

阅读 Reading

běi jīng
北 京

běi jīng shì zhōng guó de shǒu dū shì quán guó zhèng zhì wén huà de zhōng xīn
北京是中国的首都，是全国政治文化的中心。

běi jīng de lì shǐ hěn yōu jiǔ wǔ shí wàn nián qián jiù yǒu rén lèi shēng huó
北京的历史很悠久，50万年前就有人类生活

zài zhè lǐ yī yī wǔ sān nián jīn cháo zài zhè lǐ jiàn lì shǒu dū yǐ hòu yuān
在这里。1153年金朝在这里建立首都，以后元

cháo míng cháo qīng cháo dōu zài zhè lǐ jiàn dū yī jiǔ sì jiǔ nián běi jīng chéng wéi
朝、明朝、清朝都在这里建都。1949年北京成为

zhōng huá rén mín gòng hé guó de shǒu dū běi jīng de míng shèng gǔ jì hěn duō gù
中华人民共和国的首都。北京的名胜古迹很多，故

gōng tiān tán yí hé yuán shí sān lǐng hé cháng chéng dōu shì yǒu míng de gǔ
宫、天坛、颐和园、十三陵和长城都是有名的古

dài jiàn zhù měi tiān dōu yǒu wú shù guó nèi wài de lǚ yóu zhě qián lái cān guān
代建筑。每天都有无数国内外的旅游者前来参观。

英文翻译 English Translation

Beijing

Beijing, the capital city of China, is the political and cultural center of the whole country.

Human beings started living in Beijing 500,000 years ago. The Yuan Dynasty founded its capital there in 1267. The Ming and Qing Dynasties also had their capitals there as well. Beijing has been the capital city of the People's Republic of China since 1949. There are a lot of historical sites in Beijing, including the Forbidden City, the Temple of Heaven, the Summer Palace, the Ming Tombs, and the Great Wall. All are known for their ancient architecture. Millions of tourists from home and abroad come to visit the sites every day.

参考词语 Reference Words

1.	首都(首都)	*n.*	shǒudū	capital
2.	全国(全國)		quán guó	the whole nation
3.	政治(政治)	*n.*	zhèngzhì	politics
4.	中心(中心)	*n.*	zhōngxīn	center

5.	悠久(悠久)	*adj.*	yōujiǔ	long; long-standing
6.	历史(歷史)	*n.*	lìshǐ	history
7.	万(萬)	*num.*	wàn	ten thousand
8.	前(前)	*n.*	qián	before
9.	人类(人類)	*n.*	rénlèi	human beings
10.	生活(生活)	*n.*	shēnghuó	life
11.	建立(建立)	*v.*	jiànlì	build; establish
12.	有名(有名)	*adj.*	yǒumíng	famous
13.	古代(古代)	*n.*	gǔdài	ancient
14.	无数(無數)	*adj.*	wúshù	countless; innumerable
15.	国内外(國内外)		guó nèiwài	home and abroad
16.	旅游者(旅遊者)	*n.*	lǚyóuzhě	tourist
17.	参观(參觀)	*v.*	cānguān	visit

专有名词 Proper Nouns

1.	中华人民共和国(中華人民共和國)	Zhōnghuá Rénmín Gònghéguó	the People's Republic of China
2.	天坛(天壇)	Tiāntán	the Temple of Heaven
3.	金朝(金朝)	Jīn Cháo	Jin Dynasty (*1115–1234*)
4.	元朝(元朝)	Yuán Cháo	Yuan Dynasty (*1271–1368*)
5.	明朝(明朝)	Míng Cháo	Ming Dynasty (*1368–1644*)
6.	清朝(清朝)	Qīng Cháo	Qing Dynasty (*1616–1911*)

注释 Notes

一、结果补语 Result Complement

某些形容词(或动词)放在谓语动词后面,表示动作的结果。

Some verbs or adjectives are put after the predicate indicating the result of the action.

动词 + 形容词（动词） Verb + Verb (Adjective)
我吃好了，谢谢。
苹果吃完了，我们下午再去买点儿吧。
今天你看清楚那个字了吗?
他想学好汉语。
她说得太快了，我没听懂。

二、结果补语的是非疑问句形式

"Yes or No" Question Form of the Result Complement

结果补语的是非疑问句形式一般是在句末加上"没有"。但是宾语通常是确定的。

Generally "没有" is put at the end of the sentence when Chinese use the "yes or no" question form of the result complement. However the object is usually definite.

苹果吃完了没有? 要不要再买点儿来?
今天你看见王先生了没有?
饭做好了没有? 我饿了。
她的介绍你听懂了没有?

练习 Exercises

一、模仿 Imitation

1. 你能给我介绍介绍吗？
2. 以后有工夫，你带我一起逛逛。
3. 北京的历史很悠久。
4. 老师打开一张北京地图。
5. 她的介绍我都听懂了。

二、替换 Substitution

1. 我要学好汉语。

中文	语法	汉字	口语
英语	日语	俄语	法语

2. 明天我们一起去游游泳怎么样？
太好了！

逛逛商店	滑滑冰
复习复习语法	看看电影
打打篮球	玩玩儿

三、选词填空

Choose the Corresponding Words to Fill in the Sentences

锻炼锻炼	逛逛	介绍介绍	滑滑冰	游游泳
运动运动	复习复习	聊聊天	休息休息	

1. 每天我都要（　　　　）课文。
2. 这个星期我太累了，周末要好好儿（　　　　）。
3. 我喜欢和同学们在一起喝喝茶，（　　　　）。
4. 请你（　　　　）这里的情况。
5. 你应该多（　　　　），比如说，夏天去（　　　　），
   冬天去（　　　　）。
6. 星期天他不忙，可以去（　　　　）公园，（　　　　）身体。

英文翻译 English Translation

A: Are you familiar with Beijing?

B: No, not yet. Can you tell me something about the city?

(They open a map of Beijing.)

A: Look here, this is the central area of Beijing. This is Tian'anmen, and this is the Forbidden City.

B: What is to the east of the Forbidden City?

A: The Cultural Palace. And to the west of Tian'anmen is Zhongshan Park.

B: Is there also a park in front of Tian'anmen?

A: No, that is Tian'anmen Square. To the east of the Square is the Historical Museum, and to the west of it is the Great Hall of the People.

B: Is there a street in front of Tian'anmen?

A: Yes, it is Chang'an Street. Chang'an Street is the widest street in Beijing.

B: Could you show me the street if you have time later?

A: No problem. I can certainly take you there when I am free.

第二十四课 乘公共汽车

zài gōng gòng qì chē zhàn ān nà zhǔn bèi zuò gōng gòng qì chē qù wáng fǔ jǐng
（在公共汽车站，安娜准备坐公共汽车去王府井，

tā kàn jiāo tōng pái de shí hou mǎ lì lái le
她看交通牌的时候，马力来了。）

ān nà nǐ hǎo mǎ lì nǐ qù nǎr
安娜：你好！马力。你去哪儿？

mǎ lì wǒ qù qīng huá dà xué nǐ ne
马力：我去清华大学。你呢？

ān nà wǒ qù wáng fǔ jǐng nǐ néng gào su wǒ qù wáng fǔ jǐng zěn me zuò chē ma
安娜：我去王府井。你能告诉我去王府井怎么坐车吗？

mǎ lì dāng rán kě yǐ nǐ kàn zhè zhàn shì běi jīng dà xué nǐ zuò
马力：当然可以。你看，这站是北京大学，你坐

sān sān èr lù zài huàn yāo líng jiǔ lù wú guǐ diàn chē jiù dào le
332路再换109路无轨电车就到了。

ān nà zài nǎr huàn chē
安娜：在哪儿换车？

mǎ lì zài dòng wù yuán
马力：在动物园。

ān nà dào dòng wù yuán yuǎn ma
安娜：到动物园远吗？

mǎ lì bú tài yuǎn zuò wǔ liù zhàn jiù dào le
马力：不太远，坐五六站就到了。

ān nà duō xiè duō xiè
安娜：多谢，多谢。

mǎ lì bú yòng xiè kàn chē lái le kuài shàng chē ba
马力：不用谢。看！车来了，快上车吧。

生词 New Words

1.	准备(準備)	*v.*	zhǔnbèi	be ready to; prepare
2.	公共汽车(公共汽車)		gōnggòng qìchē	bus
3.	交通牌(交通牌)	*n.*	jiāotōngpái	bus route
4.	再(再)	*adv.*	zài	again
5.	无轨电车(無軌電車)		wúguǐ diànchē	trolley bus
6.	动物园(動物園)	*n.*	dòngwùyuán	zoo

成语和常用语 Idioms and Common Expressions

1. 多谢。(多謝。) Duō xiè. Thanks a lot.
2. 不用谢。(不用謝。) Bú yòng xiè. You are welcome.

阅读 Reading

liú xué běi jīng
留学北京

ān nà shì yì dà lì liú xué shēng tā zài běi jīng dà xué xué xí hàn
安娜是意大利留学生，她在北京大学学习汉
yǔ tā gāng dào běi jīng hái bù xí guàn zhèr de shēng huó měi tiān tā
语。她刚到北京，还不习惯这儿的生活。每天她
zài xué xiào shí táng chī guò zǎo fàn qù jiào shì shàng kè zhōng wǔ zài sù shè
在学校食堂吃过早饭，去教室上课。中午在宿舍
xiū xi xià wǔ qù tú shū guǎn shàng zì xí tā xué xí hěn nǔ lì wǎn
休息，下午去图书馆上自习。她学习很努力。晚
fàn yǐ hòu tā yǒu shí hou hé péng you men zài kā fēi tīng liáo tiān yǒu shí
饭以后，她有时候和朋友们在咖啡厅聊天，有时
hou zài wǎng bā shàng wǎng ān nà xué xí hěn jǐn zhāng dàn shì shēng huó de hěn
候在网吧上网。安娜学习很紧张，但是生活得很
yú kuài
愉快。

ān nà shēn tǐ tè bié jiē shi hěn shǎo gǎn mào tā yóu yǒng huá bīng dōu
安娜身体特别结实，很少感冒。她游泳滑冰都
hěn bàng lái běi jīng yǐ hòu tā cān jiā le yí gè zì xíng chē chē duì měi
很棒。来北京以后，她参加了一个自行车车队，每
gè zhōu mò dōu yǒu huó dòng shàng xīng qī tā men qí chē qù běi dài hé yòng le
个周末都有活动。上星期他们骑车去北戴河，用了
liǎng tiān de shí jiān lù shang jīng guò tiān jīn ān nà mǎi le hěn duō chī de dōng
两天的时间。路上经过天津，安娜买了很多吃的东
xī dài huí běi jīng gěi dà jiā chī yǒu bāo zi hái yǒu dà má huār
西，带回北京给大家吃，有包子，还有大麻花儿。

英文翻译 English Translation

A Student from Abroad in Beijing

Anna is a foreign student from Italy, studying Chinese at Beijing University. She has not been in Beijing for long, so she is not used to the life there. Anna has her breakfast in the university dining hall and goes to class every day. She takes a rest in the dormitory at noon, then goes to study in the library in the afternoon. She studies very hard. Sometimes, she chats with her friends in the coffee house and sometimes she goes to the net bar to use the Internet after dinner. Although Anna's study is intense, she lives a happy life.

Anna is very healthy, so she seldom catches a cold. She swims and skates very well. She joined a bicycle riding team when she came to Beijing. The team has activities every weekend. Last weekend, they spent two days riding to Beidaihe. When they arrived in Tianjin, Anna bought a lot of delicious food, including Tianjin Baozi and twisted fried dough. She brought the food back to Beijing to treat her friends.

参考词语 Reference Words

1.	留学生(留學生)	*n.*	liúxuéshēng	overseas student
2.	习惯(習慣)	*v.*	xíguàn	be used to
3.	吃饭(吃飯)		chī fàn	eat meals
4.	然后(然後)	*conj.*	ránhòu	then; after that
5.	咖啡厅(咖啡廳)	*n.*	kāfēitīng	coffee house; cafe
6.	网吧(網吧)	*n.*	wǎngbā	net bar
7.	虽然(雖然)	*conj.*	suīrán	although
8.	紧张(緊張)	*adj.*	jǐnzhāng	intense
9.	但是(但是)	*conj.*	dànshì	but
10.	愉快(愉快)	*adj.*	yúkuài	merry; happy
11.	特别(特別)	*adv.*	tèbié	especially
12.	感冒(感冒)	*v.*	gǎnmào	catch a cold
13.	自行车(自行車)	*n.*	zìxíngchē	bicycle
14.	队(隊)	*n.*	duì	team
15.	周末(周末)	*n.*	zhōumò	weekend
16.	活动(活動)	*v.*	huódòng	be active
17.	上星期(上星期)		shàng xīngqī	last week
18.	骑(騎)	*v.*	qí	ride
19.	路上(路上)	*n.*	lùshang	on the way

20. 经过(經過)	v.	jīngguò	come by; pass
21. 东西(東西)	n.	dōngxi	stuff; thing
22. 回(回)	v.	huí	return; go back
23. 麻花(麻花)	n.	máhuā	twisted fried dough

专有名词 Proper Nouns

1.	意大利(意大利)	Yìdàlì	Italy
2.	北戴河(北戴河)	Běidàihé	Beidaihe *(name of a resort area)*

注释 Notes

一、介词结构 Prepositional Structure

我们把介词和介词后边的宾语称为介词结构，也叫介宾结构。多用来说明时间、地点、方式、对象等。

Prepositional structure (also called preposition plus object structure) refers to the preposition and the noun after it, which is used to indicate time, place, manner and object. In Chinese, the structure is usually put in the front of the sentence or behind the subject.

我们从上午8点到12点上课。
他们从1990年就一直住在北京。
请问，在什么地方换车？
我们中午在宿舍休息。
她常常在学校食堂吃饭。
我跟你一起去王府井。
我对这件事不太了解。
他给马力买了两本书。

二、"有时候……，有时候……"

每天上午他都有课，下午有时候去锻炼，有时候在图书馆复习功课。
晚上我有时候看电视，有时候学习汉语。
星期天他们有时候去咖啡厅喝咖啡、聊天，有时候去网吧上网。
下课以后，安娜有时候回宿舍做作业，有时候去阅览室看书。

练习 Exercises

一、模仿 Imitation

1. 在什么地方换车？
2. 在动物园换车。
3. 她在北京大学学习汉语。
4. 她和朋友们有时候在咖啡厅聊天，有时候在网吧上网。
5. 安娜在天津买了很多吃的东西。

二、替换 Substitution

1. 晚上我有时候看电视，有时候复习课文。

和朋友聊天	在网吧上网
去图书馆学习	在宿舍休息
和中国朋友练习口语	去逛商店
学习电脑	给父母打电话

2. 我是法国人，我从巴黎（Bālí）来。

英国	伦敦	(Lúndūn)
美国	纽约	(Niǔyuē)
意大利	威尼斯	(Wēinísī)
德国	柏林	(Bólín)
印度尼西亚	雅加达	(Yǎjiādá)
马来西亚	吉隆坡	(Jílóngpō)
日本	东京	(Dōngjīng)
泰国	曼谷	(Màngǔ)
越南	河内	(Hénèi)

三、选择下列介词填入句子中适当位置

Choose the Corresponding Prepositions to Fill in the Following Sentences

从 对 在 给 跟 为 向 由

1. 你（ ）哪儿工作？
2. 食宿问题（ ）我们统一解决，您不用操心了。
3. 马力走（ ）一个摊位，（ ）卖菜的人说："这个怎么卖？"
4. 小王有时候（ ）一些公司翻译资料，有时候也陪体育代表团。
5. 你这件衣服是（ ）哪儿买的？
6. 你（ ）我一起去吧，好不好？
7. 你能（ ）我介绍一下儿吗？
8. 我（ ）北京的交通一点儿也不清楚。
9. 李晓曼的爸爸妈妈（ ）里屋走出来。
10. 我（ ）一所大学工作。

英文翻译 English Translation

(Anna is at the bus stop. She is going to Wangfujing by bus. While she is looking at the bus route, Ma Li comes along.)

Anna : Hello, Ma Li! Where are you going?
Ma Li: I am going to Tsinghua University. How about you?
Anna : I am going to Wangfujing. Can you tell me how to get there by bus?
Ma Li: Sure.
Anna : Thanks a lot.
Ma Li: You are welcome. Look, this is Beijing University. You can take the bus No. 332, then change to the trolley bus No. 109.
Anna : Where should I change buses?
Ma Li: You change at the stop for the zoo.
Anna : Is the stop for the zoo far from here?
Ma Li: Not very far. You will get there after five or six stops.
Anna : Thank you very much.
Ma Li: My pleasure. Look, the bus is coming. Quick, get on.

第二十五课 生日晚会

liú xīn jīn tiān jǐ hào
刘 新：今天几号？

lín bāng shēng jīn tiān bā yuè èr shí hào
林邦生：今天8月20号。

liú xīn wǒ men nǎ tiān kǎo shì
刘 新：我们哪天考试？

lín bāng shēng èrshíliù hào kǎo shì
林邦生：26号考试。

liú xīn shí jiān bù duō děi gǎn kuài fù xí
刘 新：时间不多，得赶快复习。

lín bāng shēng xiǎo wáng de shēng ri shì shén me shí hou
林邦生：小王的生日是什么时候？

liú xīn jiǔ yuè sì hào shì tā de shēng ri
刘 新：9月4号是他的生日。

lín bāng shēng wǒ men děi gěi tā kāi gè shēng ri wǎn huì
林邦生：我们得给他开个生日晚会。

liú xīn duì nǐ kǎo lù kǎo lù duō qǐng xiē péng you yì qǐ jù jù
刘　新：对，你考虑考虑，多请些朋友，一起聚聚。
lín bāng shēng xíng bǎo zhèng gǎo de rè rè nao nao de
林邦生：行，保证搞得热热闹闹的。

生词 New Words

1.	考试(考試)	*v.*	kǎoshì	have an exam
2.	赶快(趕快)	*adv.*	gǎnkuài	as soon as possible
3.	生日(生日)	*n.*	shēngri	birthday
4.	开(開)	*v.*	kāi	hold
5.	晚会(晚會)	*n.*	wǎnhuì	evening party
6.	考虑(考慮)	*v.*	kǎolù	consider; think over
7.	聚(聚)	*v.*	jù	get together
8.	保证(保證)	*v.*	bǎozhèng	guarantee; assure
9.	搞(搞)	*v.*	gǎo	make
10.	热闹(熱鬧)	*adj.*	rènao	lively

阅读 Reading

mǎ lì de shēng ri wǎn huì
马力的生日晚会

mǎ lì shì wǒ tóng bān tóng xué wǒ men shì hǎo péng you mǎ lì xué
马力是我同班同学，我们是好朋友。马力学
xí hěn nǔ lì duì tóng xué yě fēi cháng rè qíng dà jiā dōu hěn xǐ huan tā
习很努力，对同学也非常热情，大家都很喜欢他。

jiǔ yuè sì hào shì tā de shēng ri wǒ men bān wèi tā jǔ xíng le shēng ri wǎn huì
9月4号是他的生日，我们班为他举行了生日晚会。

wǎn huì shang tóng xué men yǒu de chàng gē yǒu de tiào wǔ hái yǒu de
晚会上，同学们有的唱歌，有的跳舞，还有的

biǎo yǎn le huá jī xiǎo pǐn dà jiā wánr de shí fēn kāi xīn liú xīn tóng xué
表演了滑稽小品，大家玩儿得十分开心。刘新同学

bēi lái le shǒu fēng qín tā wèi mǎ lì lā le yì shǒu xīn jiāng wǔ qǔ lǐ xiǎo
背来了手风琴，他为马力拉了一首新疆舞曲；李晓

màn wèi dà jiā tán le yì qǔ yōu měi dòng rén de xià wēi yí jí tā qǔ wǒ méi
曼为大家弹了一曲优美动人的夏威夷吉他曲；我没

shén me běn shi zhǐ hǎo zài dà jiā miàn qián xué māo gǒu jiào
什么本事，只好在大家面前学猫、狗叫。

zuì hòu tóng xué men ná chū dàn gāo diǎn rán shēng ri là zhú zài tóng
最后，同学们拿出蛋糕，点燃生日蜡烛。在同

xué men de huān hū shēng zhōng mǎ lì chuī miè le là zhú wǒ men dà jiā yì qǐ
学们的欢呼声中，马力吹灭了蜡烛。我们大家一起

gāo gāo xìng xìng de fēn chī le dàn gāo mǎ lì shí fēn gǎn dòng tā shuō
高高兴兴地分吃了蛋糕。马力十分感动，他说：

nǐ men dōu shì wǒ de hǎo péng you wǒ yǒng yuǎn wàng bù liǎo nǐ men wǒ men
“你们都是我的好朋友，我永远忘不了你们。”我们

yì qǐ duì tā shuō mǎ lì zhù nǐ shēng ri kuài lè
一起对他说：“马力，祝你生日快乐！”

英文翻译 English Translation

Birthday Party for Ma Li

Ma Li is my classmate and we are good friends. He studies very hard, and he is really kind to us. We all like him. Ma Li's birthday was on

September 4th, and we held a birthday party for him.

At the party, some of us sang songs, some of us danced, and some of us even performed funny skits, which amused us all very much. Liu Xin brought his accordion to the party and played a "Xinjiang" melody for Ma Li; Li Xiaoman played the graceful guitar music of Hawaii for us; I am not talented, so I had to make the sounds of cats and dogs.

When our classmates brought out the birthday cake and lit the candles, Ma Li blew out the candles and we all cheered. Then we enjoyed the cake. Ma Li was very moved by that, and said, "You are all my good friends and I will remember you forever." We said loudly, "Ma Li, Ma Li, happy birthday to you!"

参考词语 Reference Words

1.	同班(同班)	*n.*	tóngbān	in the same class
2.	有的(有的)	*pron.*	yǒude	some
3.	唱歌(唱歌)		chàng gē	sing; singing
4.	跳舞(跳舞)		tiào wǔ	dance; dancing
5.	表演(表演)	*v., n.*	biǎoyǎn	perform; performance
6.	滑稽(滑稽)	*adj.*	huájī	funny; amusing
7.	小品(小品)	*n.*	xiǎopǐn	skit
8.	开心(開心)	*adj.*	kāixīn	happy; joyous
9.	背(背)	*v.*	bēi	have...on one's back
10.	手风琴(手風琴)	*n.*	shǒufēngqín	accordion
11.	拉(拉)	*v.*	lā	play(*musical instruments such as accordion and violin*)

12. 首(首)	*m.*	shǒu	*a measure word for a song, a poem, etc.*
13. 舞曲(舞曲)	*n.*	wǔqǔ	music for dancing
14. 弹(彈)	*v.*	tán	play(*musical instruments such as piano and guitar)*
15. 曲(曲)	*m.,n.*	qǔ	melody
16. 优美(優美)	*adj.*	yōuměi	graceful; fine
17. 动人(動人)	*adj.*	dòngrén	moving; touching
18. 吉他(吉他)	*n.*	jítā	*a measure word for a song;* guitar
19. 本事(本事)	*n.*	běnshi	talent; ability; skill
20. 只好(祇好)	*adv.*	zhǐhǎo	have to
21. 面前(面前)	*n.*	miànqián	in front of; before
22. 猫(猫)	*n.*	māo	cat
23. 狗(狗)	*n.*	gǒu	dog
24. 叫(叫)	*v.*	jiào	make a sound
25. 蛋糕(蛋糕)	*n.*	dàngāo	cake
26. 点燃(點燃)	*v.*	diǎnrán	light up
27. 蜡烛(蠟燭)	*n.*	làzhú	candle
28. 欢呼声(歡呼聲)	*n.*	huānhūshēng	loud cheers
29. 吹(吹)	*v.*	chuī	blow
30. 灭(滅)	*v.*	miè	extinguish *(a flame)*
31. 分(分)	*v.*	fēn	divide; separate
32. 感动(感動)	*adj.*	gǎndòng	touched
33. 永远(永遠)	*adv.*	yǒngyuǎn	forever
34. 忘(忘)	*v.*	wàng	forget

专有名词 Proper Nouns

1. 新疆(新疆) Xīnjiāng Xinjiang *(municipality)*
2. 夏威夷(夏威夷) Xiàwēiyí Hawaii

注释 Notes

一、时间词做主语 Time Words as Subjects

时间词做主语是名词谓语句的一个主要部分。注意：主语与谓语之间没有任何动词和系词。

Time words can be used as subjects and are very important parts of a sentence with a nominal predicate. Note that there is no verb or conjunction between the subject and the predicate.

今天 8月20号。
昨天几号？
今天星期天。
现在八点二十五了。
9月4号是马力的生日。

二、年、月、日的读法 How to Read the Year, Month, and Date

年的读法是按顺序把数字一个一个地念出来。

Read the year in numbers one by one in the proper order.

1949 年	一九四九年
1980 年	一九八零年
1997 年	一九九七年
2000 年	二零零零年
2001 年	二零零一年

月的读法，按数字念出。 Read the month in numbers correctly.

4 月	四月
9 月	九月
10 月	十月
11 月	十一月
12 月	十二月

日的读法，按数字念出。表示日期的“日”口语中可以说“号”。

Read the date in numbers correctly. “号” can be used as the oral form of “日” when expressing the date.

8 号 /8 日	八号 / 八日
14 号 /14 日	十四号 / 十四日
19 号 /19 日	十九号 / 十九日
20 号 /20 日	二十号 / 二十日
27 号 /27 日	二十七号 / 二十七日

一、模仿 Imitation

1. 今天8月20号。
2. 26号考试。
3. 9月4号是马力的生日。
4. 李晓曼为大家弹了一曲优美动人的夏威夷吉他曲。
5. 在同学们的欢呼声中，马力吹灭了蜡烛。

二、替换 Substitution

1. 今天几月几号？
   今天<u>四月四号</u>。

三月八号	一月一号	十二月二十五号
五月一号	十月一号	七月二十六号
二月十九号	四月三十号	六月十四号

2. 今天星期几？
   今天星期<u>四</u>。

一　　三　　五　　六　　日／天　　二

三、朗读下列日期 Read the Following Dates

1958 年 7 月 22 号
1963 年 11 月 4 号
1978 年 9 月 8 号
1985 年 12 月 25 号
1994 年 10 月 18 号
1997 年 7 月 3 号
1999 年 6 月 11 号
2001 年 5 月 23 号
2002 年 2 月 12 号
2004 年 8 月 31 号

英文翻译 English Translation

Liu Xin: What is the date today?
Lin Bangsheng: It is August 20th.
Liu Xin: When do we have the exam?
Lin Bangsheng: We will have the exam on the 26th.
Liu Xin: There is not much time left. We should review our lessons as soon as possible.
Lin Bangsheng: When is Xiao Wang's birthday?
Liu Xin: His birthday is on September 4th.
Lin Bangsheng: We need to hold a birthday party for him.
Liu Xin: That is right. Think it over. We should invite many of our friends.
Lin Bangsheng: OK, surely it will turn out to be a lively party.

第二十六课　听讲座

mǎ lì hé lǐ xiǎo màn yuē hǎo yì qǐ qù guó jiā tú shū guǎn tīng jiǎng zuò tā men xiǎng zǎo yì diǎnr dào

（马力和李晓曼约好一起去国家图书馆听讲座，他们想早一点儿到。）

lǐ xiǎo màn　xiàn zài jǐ diǎn

李晓曼：现在几点？

mǎ lì　yǐ jing qī diǎn bàn le

马　力：已经 7 点半了。

lǐ xiǎo màn　wǒ men děi chū fā le　guó jiā tú shū guǎn bào gào tīng bā diǎn kāi mén

李晓曼：我们得出发了，国家图书馆报告厅 8 点开门。

mǎ lì　jiǎng zuò shén me shí hou kāi shǐ

马　力：讲座什么时候开始？

lǐ xiǎo màn　bā diǎn bàn kāi shǐ

李晓曼：8 点半开始。

mǎ lì jīn tiān de jiǎng zuò shì shén me nèi róng
马　力：今天的讲座是什么内容？

lǐ xiǎo màn shì guān yú zhōng guó nóng yè gǎi gé hé nóng yè xiàn dài huà de
李晓曼：是关于中国农业改革和农业现代化的。

mǎ lì tīng qǐ lái tǐng xī yǐn rén de yīng gāi qù tīng tīng
马　力：听起来挺吸引人的，应该去听听。

lǐ xiǎo màn wǒ men kuài zǒu ba zǎo diǎnr qù néng zhǎo gè hǎo zuò wèi
李晓曼：我们快走吧，早点儿去，能找个好座位。

mǎ lì hǎo mǎ shàng zǒu
马　力：好，马上走。

生词 New Words

1.	已经(已經)	*adv.*	yǐjing	already
2.	出发(出發)	*v.*	chūfā	set out; start off
3.	报告(報告)	*v., n.*	bàogào	report; lecture
4.	报告厅(報告廳)	*n.*	bàogàotīng	lecture room
5.	开(開)	*v.*	kāi	open
6.	门(門)	*n.*	mén	door
7.	内容(内容)	*n.*	nèiróng	content
8.	关于(關于)	*prep.*	guānyú	about; on; regarding
9.	农业(農業)	*n.*	nóngyè	agriculture
10.	改革(改革)	*v.*	gǎigé	reform
11.	现代化(現代化)	*n.*	xiàndàihuà	modernization
12.	吸引(吸引)	*v.*	xīyǐn	attract
13.	早(早)	*adj.*	zǎo	early

14. 找(找)	*v.*	zhǎo	look for
15. 座位(座位)	*n.*	zuòwèi	seat

专有名词 Proper Nouns

国家图书馆 (國家圖書館)	Guójiā Túshūguǎn	the National Library

阅读 Reading

guó jiā tú shū guǎn

国家图书馆

dòng wù yuán fù jìn yǒu yí gè gōng yuán jiào zǐ zhú yuàn gōng yuán nàr
动物园附近有一个公园，叫紫竹院公园。那儿
fēng jǐng hěn měi gōng yuán de běi bian yǒu yí gè guī mó bù xiǎo de jiàn zhù
风景很美。公园的北边有一个规模不小的建筑，
nà jiù shì zhù míng de zhōng guó guó jiā tú shū guǎn shì zhōng guó zuì dà de tú
那就是著名的中国国家图书馆，是中国最大的图
shū guǎn
书馆。

tú shū guǎn de jiàn zhù miàn jī yǒu shí sì wàn píng fāng mǐ yǒu sān qiān
图书馆的建筑面积有14万平方米，有3000
gè yuè lǎn zuò wèi hái yǒu yí gè diàn yǐng bào gào tīng tú shū guǎn shí xíng
个阅览座位，还有一个电影报告厅。图书馆实行
zì dòng huà guǎn lǐ rén men kě yǐ hěn fāng biàn de zhǎo dào zì jǐ xiǎng yào de
自动化管理，人们可以很方便地找到自己想要的
shū jí chōng fèn lì yòng gè zhǒng tú shū zī yuán
书籍，充分利用各种图书资源。

英文翻译 English Translation

The National Library

There is a park named Purple Bamboo Park near the zoo. The scenery there is very beautiful. To the north of the park there is a magnificent building. The building is the famous Chinese National Library, which is the largest library in China.

The library occupies 140,000 square meters with 3,000 seats and an auditorium inside. The library is computerized. People can easily find the books they want and make full use of the resources there.

参考词语 Reference Words

1.	附近(附近)	*n.*	fùjìn	by; near
2.	风景(風景)	*n.*	fēngjǐng	scenery
3.	规模(規模)	*n.*	guīmó	scale
4.	著名(著名)	*adj.*	zhùmíng	famous; well-known
5.	面积(面積)	*n.*	miànjī	area
6.	平方米(平方米)	*m.*	píngfāngmǐ	square meter
7.	阅览(閲覽)	*v.*	yuèlǎn	read
8.	实行(實行)	*v.*	shíxíng	carry out; put into practice
9.	自动化(自動化)	*n.*	zìdònghuà	automatization; computerized
10.	管理(管理)	*v., n.*	guǎnlǐ	manage; run; management

11. 人们(人們)	*n.*	rénmen	people
12. 书籍(書籍)	*n.*	shūjí	book
13. 充分(充分)	*adj.*	chōngfèn	fully
14. 利用(利用)	*v.*	lìyòng	use; make use of
15. 资源(資源)	*n.*	zīyuán	resource

专有名词 Proper Nouns

紫竹院(紫竹院)	Zǐzhúyuàn	the Purple Bamboo Park

注释 Notes

一、时间词作状语 Time Words as Adverbials

时间词通常的用法是放在动词前边作状语。

Time words are usually used as adverbials when they are put before the verbs.

报告厅8点开门。

我今天去上海。

电影8点半开始。

我们星期三开始上课。

他们明天去参观长城。

二、称数法 Enumeration

称数法分为数字称数法和序数称数法。数字称数法的表达分为两个部分，一个是数字；一个是位数。数字包括一二三四五六七八九零。位数包括个十百千万亿。汉语的位数采取四位数一个段位。先读数字，再读所对应的位数，依次读完，“零”可以在一个段位里代表多个位数。

Enumeration includes cardinal numbers and ordinal numbers.There are two parts in a cardinal number: one is the number, the other is the place. The number part includes one, two, three, four, five, six, seven, eight, nine, and zero. The place part includes the unit's place, the ten's place, the hundred's place, the thousand's place, the ten thousand's place, and the hundred million's place. In Chinese, four places are referred to as a segment place. Read the number first, and then read the corresponding place in the proper order. " 0" can be used to indicate many places.

亿	千万	百万	十万	万	千	百	十	个	
				5	8	6	3	2	五万八千六百三十二
		1	0	6	3	7	9	4	一百零六万三千七百九十四
5	8	0	0	3	0	0	5	2	五亿八千零三万零五十二
		2	4	0	3	0	0	8	二百四十万三千零八
		8	6	4	2	1	7	0	八百六十四万二千一百七十

一、模仿 Imitation

1. 国家图书馆报告厅8点开门。
2. 讲座什么时候开始？
3. 讲座8点半开始。
4. 图书馆的建筑面积有14万平方米。
5. 图书馆里有3000个阅览座位。

二、替换 Substitution

1. 你几点起床？

休息	上班	上课
睡觉	下班	下课

2. 你什么时候复习课文？

大学毕业
去上海出差
锻炼身体
逛街
陪我去王府井
去买纪念邮票

三、读出下列数字 Read the Following Numbers

3526478	321589524	254865902
100254	230000456	320048401
94510258	1470359	325894210
321540859	489250075	

英文翻译 English Translation

(Ma Li and Li Xiaoman have made an appointment to attend a lecture together, so they want to reach the National Library a little early.)

Li Xiaoman: What time is it now?
Ma Li: It is already half past seven.
Li Xiaoman: We need to set out. The lecture room in the National Library opens at 8 o'clock.
Ma Li: When does the lecture begin?
Li Xiaoman: It begins at half past eight.
Ma Li: What is it about?
Li Xiaoman: It is about agricultural reform and agricultural modernization in China.
Ma Li: That sounds interesting.
Li Xiaoman: Let us start off early so we can find two good seats.
Ma Li: All right. Let us go now.

第二十七课 谈年龄

liú dà ye jīn nián yǐ jing bā shí èr le ěr bù lóng yǎn bù huā shēn tǐ yì zhí hěn jiàn kāng
（刘大爷今年已经八十二了，耳不聋、眼不花，身体一直很健康。）

mǎ lì dà ye nín duō dà suì shu le
马　力：大爷，您多大岁数了？

liú dà ye bā shí èr le
刘大爷：八十二了。

mǎ lì nín shēn tǐ zhēn yìng lang nín yǒu jǐ gè hái zi
马　力：您身体真硬朗。您有几个孩子？

liú dà ye yǒu yí gè ér zi yí gè nǚ ér
刘大爷：有一个儿子，一个女儿。

mǎ lì ér zi duō dà le
马　力：儿子多大了？

阅读 Reading

gōng rén wáng zhōng
工人王忠

wáng zhōng shì yí gè gōng rén jīn nián wǔ shí duō le tā gōng zuò rèn
王忠是一个工人，今年五十多了。他工作认
zhēn fù zé rèn láo rèn yuàn shì chǎng lǐ de láo dòng mó fàn suī rán tā
真负责，任劳任怨，是厂里的劳动模范。虽然他
jiā lí gōng chǎng hěn yuǎn dàn shì tā cóng lái méi yǒu chí dào zǎo tuì guò tā
家离工厂很远，但是他从来没有迟到早退过。他
hái shì chǎng gōng huì de gàn bù fù zé gōng rén de fú lì dài yù
还是厂工会的干部，负责工人的福利待遇。

tā hěn xǐ huan dǎ lán qiú tā men gōng chǎng fù jìn yǒu yí zuò tǐ yù
他很喜欢打篮球。他们工厂附近有一座体育
guǎn lǐ bian kě yǐ dǎ lán qiú hái néng dǎ pái qiú hé pīng pāng qiú tā
馆，里边可以打篮球，还能打排球和乒乓球。他
cān jiā le lán qiú jù lè bù měi tiān xià bān yǐ hòu tā dōu qù tǐ yù
参加了篮球俱乐部。每天下班以后，他都去体育
guǎn xùn liàn tā lán qiú dǎ de xiāng dāng bú cuò zhè gè xīng qī tiān tā men
馆训练。他篮球打得相当不错。这个星期天他们
yào cān jiā běi jīng shì lán qiú jù lè bù de bǐ sài tā de péng you dōu huì
要参加北京市篮球俱乐部的比赛，他的朋友都会
qián qù zhù zhèn
前去助阵。

英文翻译 English Translation

Worker Wang Zhong

Wang Zhong is a worker who is over fifty years old. He is a role model in the factory because he works carefully, and willingly bears the burden of hard work. Although he lives far from the factory, he never comes late or leaves early. Wang Zhong goes to work on time every day. He is also the leader of the labor union and is in charge of the workers' welfare.

He also likes playing basketball very much. There is a gymnasium near the factory where workers can play basketball, volleyball, and table tennis. Wang Zhong joined the basketball club and he goes to practice after work every day. He plays basketball quite well. His team will take part in the club's basketball match this Sunday. His friends will go to cheer him on.

参考词语 Reference Words

1. 负责(負責) *v.* fùzé take charge
2. 厂(廠) *n.* chǎng factory
3. 模范(模範) *n.* mófàn role model; example
4. 从来(從來) *adv.* cónglái ever
5. 没有(没有) *adv.* méiyǒu not; without
6. 迟到(遲到) *v.* chídào be late for
7. 早退(早退) *v.* zǎotuì leave early
8. 工会(工會) *n.* gōnghuì labor union
9. 干部(幹部) *n.* gànbù leader

10. 福利(福利)	*n.*	fúlì	welfare
11. 待遇(待遇)	*n.*	dàiyù	treatment
12. 俱乐部(俱樂部)	*n.*	jùlèbù	club
13. 排球(排球)	*n.*	páiqiú	volleyball
14. 训练(訓練)	*v.*	xùnliàn	train
15. 比赛(比賽)	*v., n.*	bǐsài	compete; competition
16. 前去(前去)		qián qù	go
17. 助阵(助陣)		zhù zhèn	cheer

专有名词 Proper Nouns

北京市篮球俱乐部 (北京市籃球俱樂部)	Běijīng Shì Lánqiú Jùlèbù	Beijing Basketball Club

成语和常用语 Idioms and Common Expressions

任劳任怨 (任勞任怨)	rènláorènyuàn	work hard and not be upset by criticism

注释 Notes

一、询问年龄 Asking One's Age

问年龄要看准对象，问儿童要问“你几岁了？”问成年人要问“你多大了？”问老人要问“您多大岁数了？”或“多大年纪了？”对七八十岁以上的老人可以问“您高寿？”

You need to estimate a person's age before asking him/her what it is. To children you should ask "你几岁了？"; to adults, ask "你多大了？"; to elderly people, ask "您多大岁数了？" or "多大年纪了？"; to people more than seventy or eighty years, ask "您高寿？"

孩子，你几岁了？
您孙子几岁了？

你多大了？
小王多大了？
你妹妹多大了？

老张多大岁数了？
你爸爸多大岁数了？
王师傅，您多大年纪了？

老大爷，您高寿？

二、多 + 形容词 多 + Adjective

"多"用在疑问句中，询问程度、数量等。基本格式"多 + 形容词"其中形容词多为单音节。

The adverb "多" is mostly used in interrogative sentences to inquire about the degree, or the number. The basic form is "多 + adjective", where the adjectives are mostly single-syllable.

北京离上海有多远？
从北京到上海坐飞机要多长时间？
这条裤子有多长？
你要多大号的鞋？
你的房子有多大？
那位老大爷有多大岁数了？
你有多高？

练习 Exercises

一、模仿 Imitation

1. 您高寿了？
2. 儿子多大了？
3. 这孩子今年几岁了？
4. 他们工厂附近有一座体育馆。
5. 他工作认真负责，任劳任怨。

二、替换 Substitution

1. 你儿子几岁了？
   今年3岁了。

   5岁　6岁半　10岁　8岁

2. 你多大了？
   今年20（岁）了。

   35（岁） 41（岁） 50（岁） 18（岁）

3. 大爷，您多大年纪了？
   今年68（岁）了。

   70（岁） 82（岁） 76（岁） 85（岁）

三、回答下列问题 Answer the Following Questions

1. 你在上海住多久了？ ____________
2. 他多大年纪了？ ____________
3. 北京离上海有多远？ ____________
4. 北京的冬天有多冷？ ____________

英文翻译 English Translation

(Although Lao Liu turned 82 this year, he is still healthy, and has neither poor eyesight nor hearing problems.)

Ma Li : May I ask how old you are?
Lao Liu : I am 82 years old.
Ma Li : You are really healthy and strong. How many children do you have?
Lao Liu : I have a son and a daughter.
Ma Li : How old is your son?
Lao Liu : He is 58.
Ma Li : How many grandsons do you have?
Lao Liu : I have one. My grandson and his wife live in Shanghai.
Ma Li : You may have a great-grandson, I guess?
Lao Liu : I have a great-granddaughter.
Ma Li : How old is she?
Lao Liu : She is over two years old.
Ma Li : You are so lucky. You have four generations under one roof.

第二十八课 家庭宴会

liú xīn hé wáng zhōng shì dà xué shí de lǎo tóng xué bì yè hòu yí gè liú zài
（刘新和王忠是大学时的老同学，毕业后一个留在

běi jīng yí gè fēn pèi dào le xī ān wáng zhōng chū chāi dào běi jīng shùn
北京，一个分配到了西安。王忠出差到北京，顺

biàn qù kàn lǎo tóng xué liú xīn qǐng tā dào zì jǐ jiā zuò kè liú xīn de
便去看老同学，刘新请他到自己家做客，刘新的

ài rén xú xiá zuò fàn zhāo dài wáng zhōng
爱人徐霞做饭招待王忠。）

liú xīn lǎo tóng xué wǒ men yǒu duō cháng shí jiān méi jiàn miàn le
刘新：老同学，我们有多长时间没见面了？

wáng zhōng dà gài yǒu qī bā nián le ba
王忠：大概有七八年了吧！

liú xīn yǒu le cóng dà xué bì yè nǐ jiù méi dào guò běi jīng
刘新：有了。从大学毕业你就没到过北京。

wáng zhōng duì gōng zuò máng yì zhí tuō bù kāi shēn zhè cì shì pèng qiǎo
王忠：对，工作忙，一直脱不开身。这次是碰巧

dào běi jīng chū chāi shùn biàn lái kàn kàn lǎo tóng xué nǐ men zhǔn
到北京出差，顺便来看看老同学。你们准

bèi zhè me duō cài wǒ dào bù hǎo yì si le
备这么多菜，我倒不好意思了。

liú xīn zhǐ shì yì xiē jiā cháng cài jiù suàn wèi nǐ jiē fēng xǐ chén ba
刘新：只是一些家常菜，就算为你接风洗尘吧！

wáng zhōng tài kè qi le duō xiè duō xiè
王忠：太客气了。多谢多谢。

liú xīn kàn nǐ shuō de lǎo tóng xué jiàn miàn ma
刘新：看你说的，老同学见面嘛。

wáng zhōng xīn kǔ le qǐng sǎo zi zuò ba
王忠：辛苦了，请嫂子坐吧。

xú xiá nǐ men xiān chī ba zhèr hái yǒu yí ge cài mǎ shàng jiù hǎo
徐霞：你们先吃吧，这儿还有一个菜，马上就好。

wáng zhōng hái zi zěn me hái méi huí lái
王忠：孩子怎么还没回来？

liú xīn fàng xué wǎn bù děng tā le lái wǒ men xiān gān yì bēi
刘新：放学晚，不等他了。来，我们先干一杯。

wáng zhōng gān wèi wǒ men zài cì jiàn miàn gān bēi
王忠：干！为我们再次见面，干杯！

生词 New Words

1.	家庭宴会(家庭宴會)		jiātíng yànhuì	family banquet
2.	留(留)	*v.*	liú	remain
3.	分配(分配)	*v.*	fēnpèi	assign
4.	做客(做客)	*v.*	zuòkè	be a guest
5.	爱人(愛人)	*n.*	àiren	husband or wife; spouse
6.	顿(頓)	*m.*	dùn	*a measure word for a meal, a beating, etc.*
7.	见面(見面)		jiàn miàn	meet
8.	大概(大概)	*adv.*	dàgài	approximately; probably
9.	脱身(脱身)		tuō shēn	get away
10.	顺便(順便)	*adv.*	shùnbiàn	by the way
11.	家常菜(家常菜)	*n.*	jiāchángcài	homemade food
12.	算(算)	*v.*	suàn	take as
13.	嘛(嘛)	*interj.*	ma	*used at the end of a sentence (oral language)*
14.	辛苦(辛苦)	*adj.*	xīnkǔ	back-breaking, toilsome
15.	嫂子(嫂子)	*n.*	sǎozi	older brother's wife
16.	放学(放學)		fàng xué	finish classes
17.	晚(晚)	*adj.*	wǎn	late
18.	干杯(乾杯)		gān bēi	bottoms up; cheers

专有名词 Proper Nouns

1.	西安(西安)	Xī'ān	Xi'an (city)
2.	徐霞(徐霞)	Xú Xiá	Xu Xia (name of a person)

成语和常用语 Idioms and Common Expressions

接风洗尘 (接風洗塵)	jiēfēng xǐchén	give a welcome dinner to a visitor from afar

阅读 Reading

wáng hǎi tāo de yì jiā

王海涛的一家

wáng hǎi tāo shì běi jīng yì jiā jì suàn jī ruǎn jiàn gōng sī de jīng lǐ

王海涛是北京一家计算机软件公司的经理，

tā de gōng sī zài hǎi diàn zhōng guān cūn tā hé ài ren hái zi zhù zài jiāo

他的公司在海淀中关村。他和爱人、孩子住在郊

qū yí gè xiǎo qū gōng yù lǐ fáng zi bú dà dàn bù zhì de hěn shū shì

区一个小区公寓里。房子不大，但布置得很舒适。

wáng hǎi tāo de ài rén zài yì jiā dà gōng sī dāng mì shū gōng zuò hěn máng

王海涛的爱人在一家大公司当秘书，工作很忙，

lí jiā yòu yuǎn měi tiān zǎo chū wǎn guī shí fēn xīn kǔ suǒ yǐ hái zi

离家又远，每天早出晚归，十分辛苦，所以孩子

de shì jiù jiāo gěi le wáng hǎi tāo hái zi jīn nián gāng wǔ suì shàng yòu ér

的事就交给了王海涛。孩子今年刚5岁，上幼儿

yuán wáng hǎi tāo měi tiān fù zé jiē sòng hái zi
园。王海涛每天负责接送孩子。

zhōu mò shì quán jiā zuì qīng sōng de shí hou tā men cháng cháng kāi chē chū
周末是全家最轻松的时候。他们常常开车出
qù wánr běi jīng zhōu wéi de jǐng diǎn chà bu duō dōu kàn guò le tā men
去玩儿，北京周围的景点差不多都看过了。他们
dǎ suàn lì yòng jié jià rì dào quán guó qù lǚ yóu
打算利用节假日到全国去旅游。

英文翻译 English Translation

Wang Haitao's Family

Wang Haitao is the manager of a computer software company. His company is located in Zhongguan Village, Haidian District in Beijing. Wang Haitao lives in an apartment in the suburbs with his wife and child. The apartment is not very big, but it is decorated nicely and is comfortable. Wang Haitao's wife is a secretary in a big company. Her work keeps her very busy, and her workplace is far from home. She works very hard every day. She goes out early in the morning and comes back late in the evening. Wang Haitao has to look after his son a bit more. The boy is just five years old, and he is going to kindergarten. Wang Haitao drops off his son at the kindergarten and picks him up every day.

Weekends are the most relaxing time for the family. They usually travel by car. They have visited almost all the scenic spots around Beijing. They plan to travel all over China during the holidays.

参考词语 Reference Words

1.	软件(軟件)	*n.*	ruǎnjiàn	software
2.	经理(經理)	*n.*	jīnglǐ	manager
3.	郊区(郊區)	*n.*	jiāoqū	outskirts; suburb
4.	小区(小區)	*n.*	xiǎoqū	community
5.	公寓(公寓)	*n.*	gōngyù	apartment; flat
6.	房子(房子)	*n.*	fángzi	house
7.	布置(佈置)	*v.*	bùzhì	decorate
8.	舒适(舒適)	*adj.*	shūshì	comfortable
9.	所以(所以)	*conj.*	suǒyǐ	so; therefore
10.	交(交)	*v.*	jiāo	hand in
11.	幼儿园(幼兒園)	*n.*	yòu'éryuán	kindergarten
12.	接送(接送)	*v.*	jiēsòng	drop off and pick up a child from school
13.	轻松(輕鬆)	*adj.*	qīngsōng	relaxed
14.	开车(開車)	*v.*	kāichē	drive a car
15.	旅游(旅遊)	*v., n.*	lǚyóu	travel
16.	周围(周圍)	*n.*	zhōuwéi	around
17.	景点(景點)	*n.*	jǐngdiǎn	scenic spot
18.	差不多(差不多)		chà bu duō	nearly; almost

19. 打算(打算)	*v.*	dǎsuàn	intend
20. 节假日(節假日)	*n.*	jiéjiàrì	holiday
21. 全(全)	*adv.*	quán	totally; all

专有名词 Proper Nouns

1. 海淀(海淀)	Hǎidiàn	Haidian *(name of a district in Beijing)*
2. 中关村(中關村)	Zhōngguāncūn	Zhongguan Village *(name of a science and technology zone in Beijing)*

成语和常用语 Idioms and Common Expressions

早出晚归(早出晚歸)	zǎochūwǎnguī	go out early and come back late

注释 Notes

一、用相邻的两个数字作概数 n (n+1) Expresses an Approximate Number

汉语中经常用相邻的两个数字作为概数，但“九十”除外。

In Chinese, n (n+1) usually is used to express an approximate number except “九十”.

两三个人
五六斤水果
七八块钱
二三十个留学生
四五百本书

二、用“怎么”询问原因或方式

Asking the Reason or Manner by Using “怎么”

代词“怎么”可以询问方式，还可以询问原因。

The pronoun “怎么” can be used to question the manner as well as the reason.

基本格式是“怎么 + 动词/形容词”

The basic form is “怎么 + 动词/形容词”

询问原因:
她怎么走了?
你怎么不高兴?
马力昨天怎么没来上课，是不是病了?
大家都要去，你怎么不去?
都12点了，你怎么还不休息?
询问方式:
这个空调怎么开?
怎么才能学好汉语?
你知道这个词怎么念吗?

三、语气助词“了”（第二类）

Modal Particle “了”（Type Two）

“了”作为语气助词用于句子末尾。语气助词“了”常和副词“太、最、当然”一同使用，表示肯定语气。

“了” is used at the end of sentences when serving as a modal particle. The modal particle “了” is often used with the adverbs “太、最、当然”, to indicate the affirmative tone.

太贵了！
太好了！
太客气了！
我最喜欢春天了。
我最怕蛇了。
你当然可以去了。
我当然要去参加他的生日晚会了。

练习 Exercises

一、模仿 Imitation

1. 我们大概有七八年没见面了吧？
2. 孩子怎么还没回来？
3. 房子不大，但布置得很舒适。
4. 王海涛每天负责接送孩子。
5. 他们打算利用节假日到全国去旅游。

二、替换 Substitution

1. 我们大概有 5年没见面了。 （五六年）
2. 我下个月 6号回来。 （六七号）
3. 这件衬衣 80块钱。 （七八十块）
4. 我买了 3斤香蕉。 （两三斤）
5. 我们班有 18名学生。 （十八九名）

三、选择回答问题

Match the Following Questions with the Corresponding Answers

问题 Questions	回答 Answers
你怎么没去旅游？	他们都去过西安了。
你怎么还没睡觉？	大家都不愿意离开。
你怎么自己去西安了？	我对旅游不感兴趣。
你怎么一个人回家了？	小李没邀请我。
你怎么没参加昨天的晚会？	我要复习一下今天学习的课文。

英文翻译 English Translation

(Liu Xin and Wang Zhong were classmates at university. After graduation, one of them stayed in Beijing, and the other was assigned to Xi'an. Wang Zhong is on a business trip to Beijing, so he visits Liu Xin's family. Xu Xia, Liu Xin's wife, cooks dishes for Wang Zhong.)

Liu Xin: My friend, how long has it been since we parted?

Wang Zhong: Probably seven or eight years.

Liu Xin: Yes, you have not been in Beijing since we graduated from university.

Wang Zhong: Yes, I was so busy with my work that I could not get away. I happen to be here on business this time, so I had a chance to come and visit your family.

Liu Xin: We have prepared a homemade meal to welcome you.

Wang Zhong: You did not have to do that. I feel bad about it.

Liu Xin: Do not mention it, this is just a token of our regard for you.

Wang Zhong: You must be tired after cooking such a big meal, Mrs. Liu, please sit down.

Xu Xia: You eat first, I still have a dish to cook.

Wang Zhong: Why has your son not come back yet?

Liu Xin: He always finishes his class late. We do not have to wait for him. Come on, let us have a drink!

Wang Zhong: Cheers! To our reunion!

第二十九课 看电影

jié kè shì měi guó rén tá hé ān nà zài yí gè bān xué xí hàn yǔ
（杰克是美国人，他和安娜在一个班学习汉语。

zhè yì tiān tā qǐng ān nà yì qǐ qù kàn diàn yǐng
这一天，他请安娜一起去看电影。）

jié kè nǐ cháng kàn diàn yǐng ma
杰克：你常看电影吗？

ān nà bù cháng kàn
安娜：不常看。

jié kè jīn tiān wǎn shang yǒu chǎng diàn yǐng wǒ qǐng nǐ yì qǐ qù kàn hǎo ma
杰克：今天晚上有场电影，我请你一起去看，好吗？

ān nà tài hǎo le shén me diàn yǐng
安娜：太好了！什么电影？

jié kè　shì zhāng yì móu dǎo yǎn de　míng zi wǒ wàng le　hǎo xiàng jiào shén me xìng fú
杰克：是张艺谋导演的，名字我忘了，好像叫什么幸福……

ān nà　xìng fú shí guāng
安娜：《幸福时光》？

jié kè　duì　jiù shì zhè gè míng zi
杰克：对，就是这个名字。

ān nà　kàn yàng zi nǐ yě bù cháng kàn diàn yǐng ya
安娜：看样子你也不常看电影呀。

jié kè　kě bu shì　měi tiān shàng kè　fù xí　zuò zuò yè　nǎr yǒu shí jiān kàn diàn yǐng a
杰克：可不是，每天上课、复习、做作业，哪儿有时间看电影啊？

ān nà　nǐ mǎi hǎo piào le ma
安娜：你买好票了吗？

jié kè　mǎi hǎo le　sānshíwǔ pái wǔ hào hé qī hào
杰克：买好了，35排5号和7号。

ān nà　zhè me yuǎn　wǒ kě néng kàn bú jiàn
安娜：这么远，我可能看不见。

jié kè　dài zhe yǎn jìng yě kàn bú jiàn ma
杰克：带着眼镜也看不见吗？

ān nà　kàn de bù qīng chu
安娜：看得不清楚。

jié kè　kàn diàn yǐng de rén bú huì tài duō　wǒ men kě yǐ wǎng qián zuò
杰克：看电影的人不会太多，我们可以往前坐。

ān nà　hǎo ba　wǎn shang wǒ men yì qǐ qù
安娜：好吧，晚上我们一起去。

英文翻译 English Translation

Going to an Exhibition

Our company organized a visit to a computer exhibition for us yesterday afternoon, which was held in the International Exhibition Center of China. The Center is not far from our company. We set out at one thirty and got there at five past two.

The exhibition was large-scaled and creatively designed. The exhibition occupied six or seven exhibition halls. They had a map of all the exhibition halls in front of the gate for the visitors. You could find what you would like to visit very easily. The history of the development and present state of computers were introduced in the main exhibition hall. The future of the computer field was also predicted. The show was very helpful to us, and we all learned a lot.

The presenters explained the detailed principles of computers to us, and they patiently answered our questions. Each of us received some materials and little gifts. The visit did not end until five o'clock.

参考词语 Reference Words

1.	展览(展覽)	*v., n.*	zhǎnlǎn	exhibit; exhibition
2.	组织(組織)	*v., n.*	zǔzhī	organize; organization
3.	国际(國際)	*adj.*	guójì	international
4.	占(占)	*v.*	zhàn	occupy
5.	展厅(展廳)	*n.*	zhǎntīng	exhibition hall
6.	新颖(新穎)	*adj.*	xīnyǐng	novel and original

7.	为了(爲了)	*prep.*	wèile	in order to
8.	观众(觀衆)	*n.*	guānzhòng	audience; spectator
9.	大厅(大廳)	*n.*	dàtīng	hall
10.	挂(挂)	*v.*	guà	hang
11.	整个(整個)	*adj.*	zhěnggè	whole
12.	展区(展區)	*n.*	zhǎnqū	exhibition section
13.	平面图(平面圖)	*n.*	píngmiàntú	map
14.	部分(部分)	*n.*	bùfen	part
15.	主(主)	*adj.*	zhǔ	main
16.	发展(發展)	*v., n.*	fāzhǎn	develop; development
17.	现状(現狀)	*n.*	xiànzhuàng	present situation
18.	同时(同時)	*adv.*	tóngshí	at the same time; meanwhile
19.	预测(預測)	*v.*	yùcè	predict; forecast
20.	世界(世界)	*n.*	shìjiè	world
21.	未来(未來)	*n.*	wèilái	future
22.	启发(啓發)	*v.*	qǐfā	enlighten; illuminate; suggest
23.	人员(人員)	*n.*	rényuán	staff; personnel
24.	详细(詳細)	*adj.*	xiángxì	detailed
25.	讲解(講解)	*v.*	jiǎngjiě	explain
26.	原理(原理)	*n.*	yuánlǐ	principle; theory
27.	提(提)	*v.*	tí	raise; put forward
28.	回答(回答)	*v.*	huídá	answer
29.	收(收)	*v.*	shōu	accept; receive
30.	礼物(禮物)	*n.*	lǐwù	gift; present
31.	进行(進行)	*v.*	jìnxíng	carry through; go along
32.	结束(結束)	*v.*	jiéshù	finish; be over

注释 Notes

一、指示代词“这么” Demonstrative Pronoun “这么”

代词“这么”用来指示程度。

The pronoun “这么” is used to demonstrate the degree, or extent of something.

基本格式为 “这么 + 形容词”。

The basic form is “这么 +adjective”.

这么远，我可能看不见。
这么热，我们去游游泳吧。
她学习这么认真，一定能学好汉语。
这么远，我们坐车去。
外边有什么事？这么热闹。

二、动态助词“着” Modal Particle “着”

动态助词“着”用于动词后边，一般表示动作的持续或动作完成后的持续状态。

The modal particle “着” is put after the verb, usually indicating continuity of actions or the continuous state of actions.

带着眼镜也看不见吗？
门口停着两辆车。
窗户开着，灯亮着，房间里一定有人。
现在外面下着雨，等一会儿再走吧。

桌子上放着一本书。
墙上挂着一张地图。
妈妈总是说“躺着看书不好”。
他很喜欢听着音乐看书。

练习 Exercises

一、替换 Substitution

李先生带着孩子 去旅游。

骑着自行车	去上班
拉着手风琴	唱歌
陪着朋友	去逛商店
坐着	看书
躺着	看电视
喝着茶	和朋友聊天

二、看图说话 Talking About the Pictures

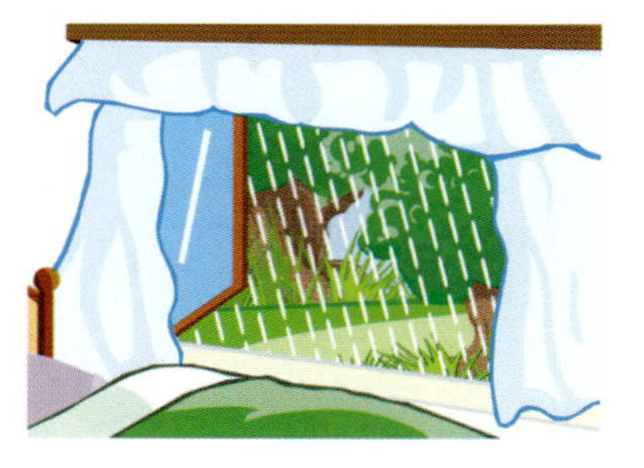

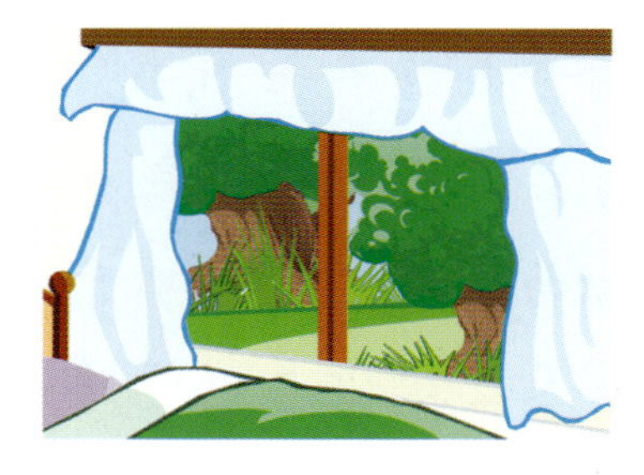

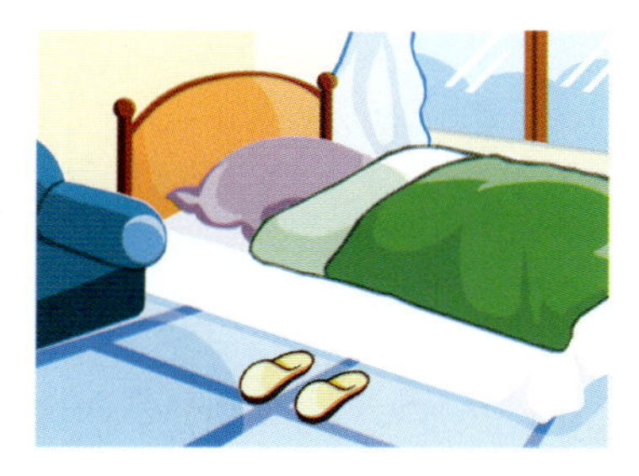

英文翻译 English Translation

(Jack, an American, is studying Chinese in the same class with Anna. Today, he invites Anna to go to see a film with him.)

Jack : Do you often go to the cinema?

Anna : No.

Jack : There is a movie tonight. Would you like to see it with me?

Anna : That is great! What is it called?

Jack : I have forgotten the name. It was directed by Zhang Yimou, and it is called something like Happy...

Anna : Happy Times.

Jack : Exactly. That is it.

Anna : It seems that you do not go to the cinema very often, either.

Jack : That is true. Very seldom. I have so much work to do every day, going to class, doing reviews, and homework. How can I have spare time to see a movie?

Anna : Have you got the tickets?

Jack : Yes. Our seats are in row 35, No. 5 and No. 7.

Anna : It is so far back that I am afraid I will not be able to see it clearly.

Jack : You cannot see even with your glasses?

Anna : Not really.

Jack : There will not be many people, and we could take the seats in the front.

Anna : OK. Let us go together tonight.

6. 农民(農民) *n.* nóngmín farmer
7. 促进(促進) *v.* cùjìn promote; accelerate, speed up
8. 经济(經濟) *n.* jīngjì economy
9. 举办(舉辦) *v.* jǔbàn hold; conduct
10. 玉米(玉米) *n.* yùmǐ corn, maize
11. 花生(花生) *n.* huāshēng peanut
12. 更(多)(更<多>) *adv.* gèng(duō) even *(more)*
13. 各(各) *pron.* gè particular; each
14. 水果(水果) *n.* shuǐguǒ fruit
15. 城里(城裏) *n.* chénglǐ inside the city
16. 城里人(城裏人) *n.* chénglǐrén urban people
17. 农活(農活) *n.* nónghuó farm work
18. 呼吸(呼吸) *v.* hūxī breathe
19. 空气(空氣) *n.* kōngqì air; atmosphere
20. 比(比) *prep.* bǐ than *(used in comparison)*
21. 长(長) *v.* zhǎng gain; improve; expand
22. 可(可) *conj.* kě *used to indicate that something has long been awaited*
23. 见识(見識) *n.* jiànshi experience; knowledge; insight

专有名词 Proper Nouns

1. 王海涛(王海濤) Wáng Hǎitāo Wang Haitao *(name of a person)*
2. 张文(張文) Zhāng Wén Zhang Wen *(name of a person)*
3. 采摘节(采摘節) Cǎizhāi Jié Fruit Picking Festival

阅读 Reading

sì jì
四季

běi jīng yì nián yǒu sì gè jì jié chūn tiān xià tiān qiū tiān hé
北京一年有四个季节：春天、夏天、秋天和
dōng tiān běi jīng de chūn tiān cóng sān yuè kāi shǐ chūn tiān yí dào shù lǜ
冬天。北京的春天从三月开始，春天一到，树绿
le cǎo lǜ le tiān qì yě biàn nuǎn huo le liù yuè dào bā yuè shì xià
了，草绿了，天气也变暖和了。六月到八月是夏
tiān běi jīng de xià tiān hěn rè yóu yǒng shì hěn duō rén shǒu xiān xuǎn zé de bì
天，北京的夏天很热，游泳是很多人首先选择的避
shǔ fāng shì jiǔ yuè qiū tiān dào le zhè shì běi jīng zuì yí rén de jì
暑方式。九月，秋天到了，这是北京最宜人的季
jié tiān qì liáng shuǎng bù lěng yě bú rè bù guā fēng yě hěn shǎo xià yǔ
节，天气凉爽，不冷也不热，不刮风也很少下雨。

qiū tiān shì shōu huò de jì jié měi dào zhè gè jì jié běi jīng jiāo
秋天是收获的季节，每到这个季节，北京郊
qū de nóng mín dōu rè qíng huān yíng chéng shì jū mín dào nóng cūn cān jiā cǎi zhāi
区的农民都热情欢迎城市居民到农村参加采摘，
gòng tóng xiǎng shòu fēng shōu de xǐ yuè
共同享受丰收的喜悦。

英文翻译 English Translation

The Four Seasons

Spring, summer, autumn, and winter are the four seasons in a year. Spring in Beijing begins in March. When spring comes, the trees and grass turn green, and the weather becomes warm. The summer is in July and August. During this period, it is very hot in Beijing. Swimming is the first choice for people to avoid the heat. Autumn comes in September, which is the most pleasant season in Beijing, and the weather becomes cool with little wind or rain.

Autumn is the harvest season. The local farmers on the outskirts of Beijing bring out their harvest to welcome people from the city to participate in the Fruit Picking Festival so they can enjoy the harvest together.

参考词语 Reference Words

1.	季节(季節)	*n.*	jìjié	season
2.	春天(春天)	*n.*	chūntiān	spring
3.	夏天(夏天)	*n.*	xiàtiān	summer
4.	树(樹)	*n.*	shù	tree
5.	草(草)	*n.*	cǎo	grass
6.	变(變)	*v.*	biàn	become; change
7.	暖和(暖和)	*adj.*	nuǎnhuo	warm
8.	首先(首先)	*adv.*	shǒuxiān	at first
9.	选择(選擇)	*v.*	xuǎnzé	choose
10.	避暑(避暑)		bì shǔ	prevent the heat of summer
11.	方式(方式)	*n.*	fāngshì	mode; manner

12. 宜人(宜人)	*adj.*	yírén	pleasant; delightful
13. 凉爽(凉爽)	*adj.*	liáng shuǎng	be pleasantly cool
14. 刮风(刮風)		guā fēng	blow *(wind)*
15. 下雨(下雨)		xià yǔ	rain
16. 纷纷(紛紛)	*adv.*	fēnfēn	in succession; one after another
17. 拿(拿)	*v.*	ná	fetch; get
18. 自己(自己)	*pron.*	zìjǐ	self
19. 果实(果實)	*n.*	guǒshí	fruit
20. 城市(城市)	*n.*	chéngshì	city
21. 居民(居民)	*n.*	jūmín	inhabitant
22. 共同(共同)	*adv.*	gòngtóng	together
23. 享受(享受)	*v.*	xiǎngshòu	enjoy
24. 丰收(豐收)	*n.*	fēngshōu	plentiful harvest
25. 喜悦(喜悦)	*adj.*	xǐyuè	joyous; happy

30

注释 Notes

一、动态助词 “了”(第一类) Aspect Particle “了”(Type One)

1. 动态助词“了”(第一类)主要表示动作的状态变化，有时兼表肯定或提醒的语气。本课主要是肯定某件事或某个情况已经发生。

The aspect particle “了”(type one) is used to denote the change of state of an action. Sometimes it is used to express an affirmative or a warning tone. “了” introduced in this lesson is used to modify the whole sentence to indicate that the event referred to has already taken place.

试比较下列两组对话：
Compare the following two dialogues:

你去哪儿？
我去商店。
你去哪儿了？
我去商店了。

2. 动态助词“了”表示动作或事情发生在过去的时间，但发生在过去的事情不一定都用“了”。如果只是一般地叙述过去的事情，特别是连续发生的几件事，或描写当时的情景，但并不强调已肯定发生的语气，也可以不用“了”。

The aspect particle “了” is usually used to indicate that the action or event referred to took place some time in the past, but past happenings are not always indicated with the help of the aspect particle “了”. “了” is not used, for instance, in simple statements of certain events, especially a succession of events in the past, nor is “了” used in the mere description of the background against which the event took place, since there is no need to stress the completion of what happened.

昨天他去医院的时候，人特别多。

3. 带动态助词“了”的句子，其否定形式是在动词前加副词“没（有）”，去掉句尾“了”。正反疑问句是在句尾加上“……（了）没有”，或者并列动词的肯定或否定形式“……没……”。

The negative form of the sentence with the aspect particle “了” is also made by putting the adverb “没(有)” in front of the verb and at the same time dropping “了” at the end of the sentence. The affirmative-negative form of such a sentence is made by either adding “……(了)没有” at the end of the sentence or by juxtaposing the affirmative and negative forms of the verb using “……没……”.

肯定形式	否定形式
安娜他们上星期已经考完试了。	安娜他们还没考完试。
我已经复习完课文了。	我还没复习完课文。
昨天我去王府井了。	昨天我没去王府井。
上星期五我们参观那个公司了。	上星期五我们没有参观那个公司。
王先生昨天去西安了。	王先生昨天没去西安。

正反疑问句形式
安娜他们考完试了没有?
你复习完课文了没有?
昨天你去没去王府井?
上星期五你们参观那个公司了没有?
王先生昨天去西安了没有?

5. A: 你 ______________________?
B: 还没买。
A: 你 ________________ 去买?
B: 明天。

英文翻译 English Translation

(Wang Haitao and his family went to the suburbs of Beijing and took part in the Fruit Picking Festival organized by the local people. Wang Haitao is talking about it with his colleague, Zhang Wen.)

Wang Haitao: My family and I went to the countryside to take part in the Fruit Picking Festival last weekend.
Zhang Wen: Sounds interesting. How was it?
Wang Haitao: Autumn is the fruit picking season. Farmers hold the Fruit Picking Festival in order to promote tourism and to improve the economy in the countryside.
Zhang Wen: What is there to pick?
Wang Haitao: A lot. There is ripe corn, peanuts, and all kinds of fruit.
Zhang Wen: Can urban people do the farm work?
Wang Haitao: No, they cannot. They go there to stretch their legs and to breathe fresh air.
Zhang Wen: The air in the countryside is fresher than that in the city.
Wang Haitao: Children enjoyed it the most. They learned a lot.
Zhang Wen: I will take my family there next weekend.

第三十一课 参观长城

xué xiào lì yòng jià qī zǔ zhī xué sheng men qù cháng chéng lǚ yóu ān nà hé
（学校利用假期组织学生们去长城旅游，安娜和
mǎ lì dōu cān jiā le lù shàng mǎ lì xiàng ān nà jiè shào cháng chéng de lì
马力都参加了。路上，马力向安娜介绍长城的历
shǐ tā men tán de hěn yǒu xìng zhì
史，他们谈得很有兴致。）

31

ān nà nǐ qù guò cháng chéng ma
安娜：你去过长城吗？

mǎ lì qù guò
马力：去过。

ān nà qù guò jǐ cì
安娜：去过几次？

mǎ lì yǐ qián qù guò liǎng cì zhè shì dì sān cì
马力：以前去过两次，这是第三次。

15. 杀(殺)	*v.*	shā	kill; murder
16. 保卫(保衛)	*v.*	bǎowèi	defend from
17. 家园(家園)	*n.*	jiāyuán	homeland
18. 抵御(抵禦)	*v.*	dǐyù	prevent from
19. 大约(大約)	*adv.*	dàyuē	about; probably
20. 公里(公里)	*m.*	gōnglǐ	kilometer
21. 高速(高速)	*n.*	gāosù	high speed
22. 公路(公路)	*n.*	gōnglù	highway

专有名词 Proper Nouns

1. 山海关(山海關)	Shānhǎiguān	Shanhaiguan *(the eastern beginning of the Great Wall in Hebei Province)*
2. 嘉峪关(嘉峪關)	Jiāyùguān	Jiayuguan *(the west end of the Great Wall in Gansu Province)*
3. 秦始皇(秦始皇)	Qínshǐhuáng	Qinshihuang *(Emperor of the Qin Dynasty, 221 B.C. to 206 B.C.)*
4. 匈奴(匈奴)	Xiōngnú	Hsiung-Nu *(name of an ethnic group)*

成语和常用语 Idioms and Common Expressions

谈不上(談不上) tán bu shàng be out of the question; not worth mentioning

阅读 Reading

cháng chéng
长城

měi tiān dōu yǒu shǔ bu qīng de zhōng wài yóu kè dào zhè lǐ cān guān
每天都有数不清的中外游客到这里参观。
cháng chéng měi gé jǐ bǎi mǐ jiù xiū jiàn yí gè fēng huǒ tái
长城每隔几百米就修建一个烽火台，
fēng huǒ tái shì dāng nián wèi le chuán dì jūn shì qíng bào yòng de
烽火台是当年为了传递军事情报用的。
rú guǒ qián fāng fā xiàn dí rén rù qīn
如果前方发现敌人入侵，
mǎ shang zài fēng huǒ tái shang shāo qǐ láng yān
马上在烽火台上烧起狼烟。
zhè zhǒng yān hěn nóng
这种烟很浓，
yān shēng qǐ lái
烟升起来，
qí tā fēng huǒ tái de zhàn shì kàn dào hòu
其他烽火台的战士看到后，
yě xùn sù shāo láng yān
也迅速烧狼烟，
zhè yàng
这样，
dí rén rù qīn de xiāo xi hěn kuài jiù chuán guò lái
敌人入侵的消息很快就传过来，
kě yǐ zài zuì duǎn de shí jiān nèi zuò hǎo zhǔn bèi
可以在最短的时间内做好准备。

三、将下列括号里的词语放在适当的位置

Put the Words in Brackets into Their Proper Places

1. A 熟悉。B 我 C 对长城的了解 D 主要是从书上来的。（说不上）
2. A 你 B 去 C 几次 D 长城？（过）
3. 每天 A 有 B 数不清的 C 中外游客到 D 这里参观。（都）
4. A 其他 B 烽火台的战士 C 看到 D，也迅速烧狼烟。（后）
5. A 长城 B 东边是山海关，C 西边 D 是嘉峪关。（最，最）
6. A 是 B 人类 C 地球上 D 最长的建筑。（在）
7. 中国 A 历史上 B 各个朝代 C 都修 D 长城。（过）
8. 中原人民 A 保卫自己的家园、B 抵御匈奴，C 修了 D 长城。（为了）
9. 现在 A 修 B 建 C 高速公路 D。（了）

英文翻译 English Translation

(The school organized students to visit the Great Wall. Both Anna and Ma Li took part in the activity. On the way, Ma Li introduces the history of the Great Wall to Anna. They talk to each other joyfully.)

Anna : How many times have you been to the Great Wall?
Ma Li: This is the third time.
Anna : When was your first time there?
Ma Li: When I was in primary school, I was about ten.
Anna : You must be very familiar with the Great Wall.
Ma Li: I would not say that, I know it mainly from books.
Anna : Could you tell me about it?
Ma Li: OK. The east end of the Great Wall is Shanhaiguan, and the west end is Jiayuguan. The Great Wall is the longest structure in the world.
Anna : When did the Chinese people start to build the Great Wall?
Ma Li: Beginning with Emperor Qinshihuang, the Great Wall was repaired in every dynasty throughout Chinese history.
Anna : Why did they build the Great Wall?
Ma Li: Hsiung-Nu tribes from the north of China frequently invaded, plundering and killing. People built the Great Wall to defend their homeland.
Anna : How far is it from the Great Wall to Beijing?
Ma Li: Not very far, about 70 or 80 kilometers. Since the highway was built, it takes less than one hour from the city to the Great Wall.

英文翻译 English Translation

Xu Xia and Her Job

Xu Xia is my good friend, and we have known each other for eight years. She is now 27 years old but still has no boyfriend. She is a good-looking girl. She has big eyes and long black hair.

She works as a secretary in the head office of the Mechanism Import and Export Trade Company of China. Every day she is busy with her work for eight hours without any free time. Besides that, she often works extra hours. Every morning when she gets to the office, she is busy providing documents, copying materials, typing written data, and answering phone calls. Xu Xia has told me that she does not want to be single, but because her work keeps her so busy, she does not have much time for a social life.

参考词语 Reference Words

1.	难看(難看)	*adj.*	nánkàn	ugly
2.	眼睛(眼睛)	*n.*	yǎnjing	eye
3.	头(頭)	*n.*	tóu	head
4.	乌黑(烏黑)	*adj.*	wūhēi	black; jet-black
5.	披肩发(披肩髮)	*n.*	pījiānfà	long hair down to one's shoulders
6.	机械(機械)	*n.*	jīxiè	machine; mechanism
7.	进出口(進出口)	*v.*	jìnchūkǒu	import and export
8.	总(總)	*adj.*	zǒng	general
9.	满(滿)	*adj.*	mǎn	full
10.	空闲(空閑)	*n.*	kòngxián	spare time

11. 办公室(辦公室)	*n.*	bàngōngshì	office
12. 文件(文件)	*n.*	wénjiàn	document; file
13. 复印(複印)	*v.*	fùyìn	copy
14. 录入(錄入)	*v.*	lùrù	type
15. 接(接)	*v.*	jiē	pick up
16. 独身(獨身)	*adj.*	dúshēn	single; unmarried
17. 空儿(空兒)	*n.*	kòngr	free time
18. 个人(個人)	*n.*	gèrén	individual; personal

专有名词 Proper Nouns

中国机械进出口贸易总公司(中國機械進出口貿易總公司)	Zhōngguó Jīxiè Jìnchūkǒu Màoyì Zǒnggōngsī	Machine Import and Export Trade Company of China

成语和常用语 Idioms and Common Expressions

除此之外(除此之外)	chúcǐzhīwài	in addition

注释 Notes

一、时间词 Time Words

时间词分为两个部分，时点词语和时段词语。所谓时点词语是指某一时刻，所谓时段词语是指一段时间。

Time words can be classified into two types. They are either point-of-time words, or period-of-time words. A point-of-time word refers to a certain moment, and a period-of-time word indicates a period of time.

初 级 篇
Elementary Level
www.ChineseTide.com
Lesson 33 Taking the Train

12. 一致(一致)	*adj.*	yízhì	consistent; identical
13. 同意(同意)	*v.*	tóngyì	agree; accede
14. 细致(細緻)	*adj.*	xìzhì	detailed
15. 考察(考察)	*v.*	kǎochá	investigate
16. 委派(委派)	*v.*	wěipài	assign; appoint
17. 将(將)	*adv.*	jiāng	will; shall; be about to
18. 完成(完成)	*v.*	wánchéng	finish
19. 任务(任務)	*n.*	rènwù	assignment; task
20. 运输(運輸)	*v., n.*	yùnshū	transport; transportation
21. 市场(市場)	*n.*	shìchǎng	market
22. 零售(零售)	*v.*	língshòu	retail
23. 以及(以及)	*conj.*	yǐjí	and
24. 如何(如何)	*adv.*	rúhé	how
25. 树立(樹立)	*v.*	shùlì	set up
26. 品牌(品牌)	*n.*	pǐnpái	brand

注释 Notes

一、助词“过” Particle “过”

助词“过”用在动词后边，表示曾发生过某种经历。否定形式：在动词前边放一个“没”或者“没有”。基本格式：

The particle “过” is used after a verb to indicate some experience has happened. For the negative form, put “没” or “没有” before the verb. The basic form is:

肯定格式 Positive Form	否定格式 Negative Form
我去过上海。	我没去过上海。
我学过汉语。	我没有学过汉语。
今年冬天下过雪。	今年冬天没下过雪。
我参加过这种活动。	我没参加过这种活动。
疑问句 Question	
你去过上海没有？	
你学过汉语没有？	
今年冬天下过雪没有？	
你参加过这种活动没有？	

二、量词“趟” Measure Word “趟”

量词“趟”表示走动的次数。

“趟” is the measure word for a round trip or a single trip of a train .

我去了一趟西安。
昨天我们去了一趟王府井。
他上个月出了一趟差。
公司派他到德国去了一趟。
我坐上了最后一趟去天津的火车。

练习 Exercises

一、模仿 Imitation

1. 真没想到，在这儿遇到你了。
2. 我这些天没什么事，去陪陪她。
3. 我们到车上再好好儿聊吧。
4. 派王海涛到南京做更细致的考察。
5. 为了完成这次考察任务，王海涛要在北京做好充分的准备。

二、替换 Substitution

1. 你去过德国吗？ —— 我没有去过德国。

澳大利亚　俄罗斯　法国　加拿大　美国　英国
中国　菲律宾　韩国　日本　泰国　新加坡　越南

2. 你逛过王府井吗？ —— 我逛过一次王府井。

故宫　十三陵　颐和园　圆明园　北海
景山　长安街　文化宫　中山公园　天坛
紫竹院　中关村　嘉峪关　山海关

3. 好久没见，你去哪儿了？ —— 我去了一趟上海。

天津　西安　南京　嘉峪关　山海关
印度尼西亚　德国　意大利　夏威夷

英文翻译 English Translation

(Lin Xiaomin and Wang Haitao were classmates. One day they met unexpectedly at the railway station. Both of them are very happy. They are chatting in the waiting room.)

Lin Xiaomin: My friend, is it really you?
Wang Haitao: Lin Xiaomin! It is really a surprise to meet you here.
Lin Xiaomin: Where are you going?
Wang Haitao: I am on a business trip to Nanjing.
Lin Xiaomin: Great! I am going to Nanjing, too.
Wang Haitao: Are you also on business?
Lin Xiaomin: No. My aunt lives in Nanjing. She is getting old and is not very well. I am free these days, so I am going there to give her some company.
Wang Haitao: Are we on the same train?
Lin Xiaomin: My train is No. 37. What is yours?
Wang Haitao: Same here.
Lin Xiaomin: Which compartment?
Wang Haitao: No. 3.
Lin Xiaomin: What a coincidence! Me, too!
Wang Haitao: Let us go into the station, and continue to chat on the train.

第三十四课 谈天气

běi jīng chūn tiān lǐ de yì tiān wài bian guā zhe fēng zhāng wén hé hǎo yǒu wáng hǎi tāo tán lùn qǐ tiān qì lái
（北京春天里的一天，外边刮着风，张文和好友王海涛谈论起天气来。）

wáng hǎi tāo chūn tiān jiù shì ài guā fēng nǐ kàn yòu guā le yì tiān fēng
王海涛：春天就是爱刮风，你看，又刮了一天风。

zhāng wén fēng shā yì qǐ jiù shén me yě kàn bú jiàn le tiān qì yù bào shuō shǒu dū jī chǎng jīn tiān guān bì le
张　文：风沙一起，就什么也看不见了。天气预报说，首都机场今天关闭了。

wáng hǎi tāo nà děi guān bì shén me yě kàn bù qīng fēi jī qǐ fēi jiàng luò zhǔn chū shì
王海涛：那得关闭，什么也看不清，飞机起飞、降落准出事。

zhāng wén xià tiān hái guā fēng ma
张　文：夏天还刮风吗？

wáng hǎi tāo　xià tiān bú huì guā le
王海涛：夏天不会刮了。

zhāng wén　běi jīng de xià tiān rè bú rè
张　文：北京的夏天热不热？

wáng hǎi tāo　rè, yǒu shí wēn dù zài sān shí sì wǔ dù yǐ shàng, dàn shì wǎn shang shāo wēi hǎo yì diǎnr
王海涛：热，有时温度在三十四五度以上，但是晚上稍微好一点儿。

zhāng wén　shén me shí hou xià yǔ ya
张　文：什么时候下雨呀？

wáng hǎi tāo　děi děng dào qī bā yuè fèn. yǔ xià de hěn jí zhōng, yòu dǎ léi yòu xià yǔ, tǐng xià rén de
王海涛：得等到七八月份。雨下得很集中，又打雷又下雨，挺吓人的。

zhāng wén　wǒ zuì pà dǎ léi le. qiū tiān shì bú shì tè bié hǎo
张　文：我最怕打雷了。秋天是不是特别好？

wáng hǎi tāo　qiū tiān shì běi jīng zuì hǎo de jì jié. zhè gè jì jié shì chū qù lǚ yóu de hǎo shí hou
王海涛：秋天是北京最好的季节。这个季节是出去旅游的好时候。

zhāng wén　wǒ xǐ huan huá bīng、huá xuě, běi jīng de dōng tiān kě yǐ huá bīng ma
张　文：我喜欢滑冰、滑雪，北京的冬天可以滑冰吗？

wáng hǎi tāo　xiǎng huá bīng děi dào yī yuè fèn. dāng rán, nǐ yě kě yǐ qù shì nèi huá bīng chǎng
王海涛：想滑冰得到一月份。当然，你也可以去室内滑冰场。

生词 New Words

1.	风(風)	*n.*	fēng	wind
2.	爱(愛)	*adv.*	ài	frequently
3.	风沙(風沙)	*n.*	fēngshā	sand blown by wind
4.	起(起)	*v.*	qǐ	take off; rise
5.	预报(預報)	*v.*	yùbào	forecast
6.	机场(機場)	*n.*	jīchǎng	airport
7.	关闭(關閉)	*v.*	guānbì	close
8.	清(清)	*adj.*	qīng	clear
9.	飞机(飛機)	*n.*	fēijī	plane
10.	起飞(起飛)	*v.*	qǐfēi	take-off
11.	降落(降落)	*v.*	jiàngluò	land
12.	有时(有時)	*n.*	yǒushí	sometimes
13.	出事(出事)		chū shì	have an accident
14.	温度(溫度)	*n.*	wēndù	temperature
15.	度(度)	*m.*	dù	degree
16.	以上(以上)	*n.*	yǐshàng	above; over
17.	稍微(稍微)	*adv.*	shāowēi	a little; a bit
18.	月份(月份)	*n.*	yuèfèn	month
19.	雨(雨)	*n.*	yǔ	rain
20.	集中(集中)	*v.*	jízhōng	focus
21.	打雷(打雷)		dǎ léi	thunder
22.	雷(雷)	*n.*	léi	thunder
23.	吓人(嚇人)	*adj.*	xiàrén	frightening
24.	怕(怕)	*v.*	pà	be afraid

25. 滑雪(滑雪)		huá xuě	skiing
26. 室内(室内)	*n.*	shìnèi	indoors
27. 滑冰场(滑冰場)	*n.*	huábīngchǎng	skating rink

阅读 Reading

bīng xuě jié
冰雪节

zhōng guó zuì běi biān de shěng shì hēi lóng jiāng shěng shěng huì shì hā ěr
中国最北边的省是黑龙江省，省会是哈尔
bīn dōng tiān nà lǐ shì zhōng guó zuì lěng de dì fang píng jūn qì wēn zài
滨。冬天那里是中国最冷的地方，平均气温在
líng xià shí jǐ dù nán fāng rén dào le nàr kěn dìng shòu bù liǎo dàn
零下十几度，南方人到了那儿肯定受不了。但
shì cháng nián lěi yuè shēng huó zài bīng tiān xuě dì de dōng běi rén què zài bīng xuě
是长年累月生活在冰天雪地的东北人却在冰雪
zhōng zhǎo dào le huān lè tā men zài bīng xuě fù gài de sōng huā jiāng jiāng miàn
中找到了欢乐。他们在冰雪覆盖的松花江江面
shàng jǔ bàn qǐ shèng dà de bīng xuě jié tā men cóng shì jiè gè dì qǐng lái
上举办起盛大的冰雪节。他们从世界各地请来
bīng diāo gāo shǒu yǐ xuě yuán lán tiān wéi bèi jǐng yǐ bīng kuài wéi yuán
冰雕高手，以雪原、蓝天为背景，以冰块为原
liào diāo kè chū yí jiàn jiàn měi lì de yì shù pǐn xī yǐn le guó nèi
料，雕刻出一件件美丽的艺术品，吸引了国内
wài de lǚ yóu zhě chéng wéi zhōng guó dōng jì lǚ yóu de rè diǎn
外的旅游者，成为中国冬季旅游的热点。

英文翻译 English Translation

Ice and Snow Festival

The most northern part of China is Heilongjiang Province, whose capital is Harbin. In China, Harbin is the coldest place in winter, with an average temperature of over ten degrees Celsius below zero. The southerners are certainly not used to the cold there, but the northeasterners, having lived in the ice and snow world for years, enjoy themselves, and they hold an Ice and Snow Festival. The magnificent Ice and Snow Festival is held on the surface of the Songhuajiang River, which is covered by ice and snow. The best ice sculptors from all over the world are invited there. They carve beautiful works of art from ice blocks, which blend with the snow plains and blue sky. The Festival attracts many tourists from home and abroad, and becomes a hot spot for people to visit during winter in China.

参考词语 Reference Words

1.	冰雪(冰雪)	*n.*	bīngxuě	ice and snow
2.	冰雪节(冰雪節)		bīngxuě jié	Ice and Snow Festival
3.	省(省)	*n.*	shěng	province
4.	省会(省會)	*n.*	shěnghuì	provincial capital
5.	平均(平均)	*v.*	píngjūn	average
6.	气温(氣溫)	*n.*	qìwēn	temperature
7.	零(零)	*num.*	líng	zero
8.	南方人(南方人)	*n.*	nánfāngrén	southerner
9.	肯定(肯定)	*adv.*	kěndìng	surely; affirmatively
10.	受(受)	*v.*	shòu	stand; bear
11.	欢乐(歡樂)	*adj.*	huānlè	happy; cheerful

12. 覆盖(覆蓋)	*v.*	fùgài	cover with
13. 江面(江面)	*n.*	jiāngmiàn	the surface of the river
14. 盛大(盛大)	*adj.*	shèngdà	grand; magnificent
15. 各地(各地)		gè dì	everywhere
16. 冰雕(冰雕)	*n.*	bīngdiāo	ice statue
17. 高手(高手)	*n.*	gāoshǒu	master-hand; expert
18. 以(以)	*prep.*	yǐ	by
19. 雪原(雪原)	*n.*	xuěyuán	snowfield
20. 蓝天(藍天)	*n.*	lántiān	blue sky
21. 背景(背景)	*n.*	bèijǐng	background; setting
22. 冰块(冰塊)	*n.*	bīngkuài	ice cube
23. 原料((原料)	*n.*	yuánliào	material; raw material
24. 雕刻(雕刻)	*v.*	diāokè	carve; sculpt
25. 美丽(美麗)	*adj.*	měilì	beautiful
26. 艺术品(藝術品)	*n.*	yìshùpǐn	art work
27. 成为(成爲)	*v.*	chéngwéi	become
28. 热点(熱點)	*n.*	rèdiǎn	hot spot

专有名词 Proper Nouns

1. 东北(東北)	Dōngběi	Northeast *(of China)*
2. 黑龙江省(黑龍江省)	Hēilóngjiāng Shěng	Heilongjiang Province
3. 哈尔滨(哈爾濱)	Hā'ěrbīn	Harbin *(city)*
4. 松花江(松花江)	Sōnghuā Jiāng	Songhuajiang River

成语和常用语 Idioms and Common Expressions

1. 长年累月(長年累月) chángniánlěiyuè over the years
2. 冰天雪地(冰天雪地) bīngtiānxuědì a world of ice and snow

注释 Notes

一、动词“爱”和副词“爱” “爱” as a Verb and “爱” as an Adverb

动词“爱”表示喜欢、感兴趣等主观情感，副词“爱”表示常常发生某种行为或容易发生某种变化。

“爱” as a verb means love, like , be fond of , be keen on, cherish, treasure or take good care of. “爱” as an adverb indicates something always happens or some changes can occur easily.

他爱他的妻子。
小明爱爸爸、妈妈。
我爱打篮球。
她爱逛街，我爱参观展览。
北京的春天爱刮大风。

二、“一……就……”结构 “一……就……” Structure

“一……就……”表示接连发生的两件事，中间没有停顿。

“一……就……” indicates two things happen in succession, with no pause between them.

他一下飞机，就回家了。
我们一到教室，就开始上课。
今天一下课我们就去阅览室，怎么样？

"一……就……"还表示在某条件下必然产生的结果。

"一……就……" also indicates a certain result under some conditions.

北京一到春天就刮风。
他一高兴就唱歌跳舞。
小王身体不太好，天一冷，就感冒。

练习 Exercises

一、模仿 Imitation

1. 春天就是爱刮风。
2. 风沙一起，就什么也看不见了。
3. 有时温度在三十四五度以上。
4. 每年在冰雪覆盖的松花江江面上举办盛大的冰雪节。
5. 以冰块为原料，雕刻出一件件美丽的作品。

二、请参考下列词语，用"一……就……"造句 Make Sentences with "一……就……" Using the Following Words

1. 下班　回家 ________________

2. 回家　吃饭 ________________

3. 到北京　给妈妈打电话 ________________

4. 这个菜很容易做　学　会 ________________

5. 到周末　　他回家________________

6. 刮风　　　房间里脏________________

英文翻译 English Translation

(On a windy day in spring, Zhang Wen is talking about the weather with his good friend, Wang Haitao.)

Wang Haitao: It is frequently windy in spring. Look! It has been windy all day.

Zhang Wen: When it is windy, everything becomes invisible. According to the weather forecast, the Capital Airport has been closed today.

Wang Haitao: It should be closed. Otherwise, the planes taking off and landing could have an accident, since visibility is low.

Zhang Wen: Is it windy in summer?

Wang Haitao: No, it is not windy in summer.

Zhang Wen: Is it hot in summer in Beijing?

Wang Haitao: It is hot. Sometimes the temperature is over 34 or 35 degrees, but it is a bit cooler in the evening.

Zhang Wen: When does it rain?

Wang Haitao: It mainly rains in July and August, and it rains cats and dogs. Also the thunder and lightening come together. It is frightening.

Zhang Wen: I am most afraid of thunder. Is it better in autumn?

Wang Haitao: Autumn is the best season in Beijing, and it is a good time to travel around.

Zhang Wen: I like skating and skiing. Can we skate in winter in Beijing?

Wang Haitao: I think we should wait until January. You can go to an indoor skating rink, of course.

第三十五课 去银行

ān nà xiǎng qù yín háng qǔ qián kě shì bù zhī dào zěn me bàn lǐ shǒu xù
（安娜想去银行取钱，可是不知道怎么办理手续，
tā qǐng mǎ lì bāng máng
她请马力帮忙。）

ān nà wǒ xiǎng qù yín háng qǔ qián nǐ zhī dào zěn me qǔ qián ma
安娜：我想去银行取钱，你知道怎么取钱吗？

mǎ lì nǐ cún de shì huó qī hái shì dìng qī
马力：你存的是活期还是定期？

ān nà wǒ yě bù zhī dào zhè shì cún zhé nǐ kàn kàn
安娜：我也不知道，这是存折，你看看。

mǎ lì zhè shì huó qī de nǐ dào yín háng yào tián xiě yì zhāng dān zi
马力：这是活期的，你到银行要填写一张单子。

ān nà dān zi shàng yào xiě shén me
安娜：单子上要写什么？

mǎ lì　xiě qīng chu nǐ de xìng míng　zhàng hào hé yào qǔ de qián shù　jiāo
马力：写清楚你的姓名、账号和要取的钱数，交
gěi yín háng de gōng zuò rén yuán jiù xíng le
给银行的工作人员就行了。

ān nà　nǐ shuō de zhēn qīng sōng　shàng cì tā men wèn le wǒ yí gè wèn tí
安娜：你说得真轻松，上次他们问了我一个问题，
wǒ méi tīng dǒng
我没听懂。

mǎ lì　zhè cì bú huì le　nǐ yǐ jīng xué le bàn nián hàn yǔ　néng tīng
马力：这次不会了。你已经学了半年汉语，能听
dǒng bù shǎo le
懂不少了。

ān nà　wǒ hái shì yǒu diǎnr hài pà　nǐ péi wǒ qù ba
安娜：我还是有点儿害怕。你陪我去吧？

mǎ lì　hǎo ba　bú guò　dào le yín háng nǐ yí dìng yào zì jǐ xiān shì
马力：好吧，不过，到了银行你一定要自己先试
shì　shí zài bù chéng　wǒ zài bāng nǐ
试，实在不成，我再帮你。

ān nà　jiù zhè me shuō dìng le
安娜：就这么说定了。

mǎ lì　zǒu ba
马力：走吧。

生词 New Words

1.	帮忙(幫忙)		bāng máng	help
2.	活期(活期)	*n.*	huóqī	checking account
3.	存折(存折)	*n.*	cúnzhé	bankbook; deposit book
4.	填写(填寫)	*v.*	tiánxiě	fill
5.	张(張)	*m.*	zhāng	*a measure word for a form, a desk, etc.*
6.	单子(單子)	*n.*	dānzi	list; form
7.	写(寫)	*v.*	xiě	write down
8.	姓名(姓名)	*n.*	xìngmíng	full name
9.	账号(賬號)	*n.*	zhànghào	account number
10.	取(取)	*v.*	qǔ	withdraw; get; fetch
11.	钱数(錢數)	*n.*	qiánshù	amount of money
12.	工作人员(工作人員)		gōngzuò rényuán	staff member; employee
13.	上次(上次)		shàng cì	last time
14.	问(問)	*v.*	wèn	ask
15.	成(成)	*v.*	chéng	succeed
16.	定(定)	*v.*	dìng	fix

阅读 Reading

bá miáo zhù zhǎng
拔苗助长

cóng qián yǒu gè xìng jí de rén zhòng le jǐ mǔ mài zi tā měi
从前有个性急的人，种了几亩麦子。他每
tiān dōu yào dào mài dì lǐ kàn kàn kàn a kàn a tā zǒng shì jué de
天都要到麦地里看看。看啊看啊，他总是觉得
mài miáo zhǎng de tài màn le yú shì xià jué xīn yào bāng zhù mài miáo kuài diǎnr
麦苗长得太慢了，于是下决心要帮助麦苗快点儿
zhǎng gāo tā yí gè rén dǐng zhe liè rì wān zhe yāo zài mài dì lǐ
长高。他一个人顶着烈日，弯着腰，在麦地里
gàn kāi le tā bǎ měi zhū mài miáo dōu wǎng shàng bá gāo le yí cùn zhěng
干开了。他把每株麦苗都往上拔高了一寸。整
zhěng gàn le yì tiān zhōng yú gàn wán le tā huí guò tóu yí kàn mài
整干了一天，终于干完了。他回过头一看，麦
miáo zhǎng gāo le xǔ duō
苗长高了许多。

tā xīn mǎn yì zú de huí dào le jiā jiā lǐ rén jiàn tā mǎn tóu
他心满意足地回到了家。家里人见他满头
dà hàn yǐ wéi chū le shén me shì tā xìng gāo cǎi liè de gào su jiā
大汗，以为出了什么事。他兴高采烈地告诉家
lǐ rén jīn tiān wǒ bāng zhù mài miáo zhǎng gāo le jiā lǐ rén tīng hòu
里人："今天我帮助麦苗长高了。"家里人听后
hěn nà mèn yú shì yì jiā rén lái dào le mài tián zhǐ jiàn mǎn dì de
很纳闷，于是一家人来到了麦田，只见满地的
mài miáo quán bù kū sǐ le
麦苗全部枯死了。

英文翻译 English Translation

Spoiling Things with Excessive Enthusiasm

Once upon a time, there was a hot-tempered man who planted a few mu of wheat. He went to the wheat field every day to watch the wheat grow. He found that the wheat grew too slowly, so he decided to help the wheat grow faster. With the burning sun above his head, he stooped down and started to pull every young plant up one inch. He spent a whole day finishing his task. When he looked back on the wheat plants, he found they had grown a lot.

He went back home satisfied. When his family saw him sweating, they thought something bad had happened to him. But he told his family joyfully, "I helped the young plants grow faster today!" The family still felt puzzled at what he explained to them, so they all went to the field, where they saw all the plants were dried up and dead.

参考词语 Reference Words

1.	拔(拔)	*v.*	bá	draw; pull out
2.	从前(從前)	*n.*	cóngqián	once upon a time
3.	性急(性急)	*adj.*	xìngjí	impatience
4.	种(種)	*v.*	zhòng	grow
5.	亩(畝)	*m.*	mǔ	*mu, a unit of area*
6.	麦子(麥子)	*n.*	màizi	wheat
7.	麦地(麥地)	*n.*	màidì	wheat field
8.	总是(總是)	*adv.*	zǒngshì	always
9.	觉得(覺得)	*v.*	juéde	feel

你喜欢中文书还是英文书？	我喜欢中文书。
你的汉语好还是法语好？	我的汉语好。
你身体结实还是他身体结实？	他身体结实。
这本书有意思还是那本书有意思？	这本书有意思。
你去圆明园还是去颐和园？	我去颐和园。
你参加会议还是张经理参加会议？	张经理参加会议。
你打台球还是打羽毛球？	我打台球。

二、简单趋向补语“来”和“去”

Simple Direction Complements “来” and “去”

动词“来” 和 “去”经常放在其他动词后边作补语，表示所说事物的运动方向。如果事物的运动方向向着说话者运动，就用“来”作补语；如果事物的运动方向背着说话者运动，就用“去”作补语。

Verbs like “来” and “去” are usually put after other verbs as complements to indicate the direction of moving objects. “来” is used when the object is moving toward the speaker; and “去” is used as a complement when the object is moving away from the speaker.

街上开来一辆汽车。
那边走来一个孩子。
火车开过去了。

如果在动词后边带有宾语，而且宾语是运动的物体，那么宾语可以放在“来”“去”之前或者之后，但有时意思不一样。

If there is an object after the verb, and the object is moving, the object can be put before or after "来" or "去", but sometimes, by putting the object after "来、去", or by putting the object before "来、去", can result in a different meaning.

他拿水果去了。	他拿去了一些水果。
安娜带英文书来了。	安娜带来了一些英文书。
李晓曼叫人来了。	李晓曼叫来了人。

但是如果宾语是不可运动的物体，那么宾语只能放在"来"和"去"的前边。

If the object is immovable, it can only be put before "来" and "去".

她上楼去了。
王海涛进城去了。
工会干部都到俱乐部去了。
同学们进报告厅来了。

练习 Exercises

一、模仿 Imitation

1. 你的存款是活期的还是定期的？
2. 你陪我去吧？
3. 实在不成，再找我帮忙。
4. 下决心要帮助麦苗快快长高。
5. 家里人见他满头大汗，以为出了什么事。

二、替换 Substitution

你喜欢打篮球还是喜欢打乒乓球？

—— 我喜欢打乒乓球。

35

打篮球 打排球
旅游 爬山
看书 看电视
跳舞 唱歌
打台球 打羽毛球

三、问答 Answer the Questions

1. 你的朋友是美国人还是英国人？

2. 你今天去西安还是明天去西安？

3. 会议在北京大学开还是在天津南开大学开？

4. 你去图书馆借书还是还书？

5. 学生们在电脑教室学习电脑知识还是上网？

6. 在紫竹院换车还是在动物园换车？

7. 我们 26 号考试还是 27 号考试？

8. 国家图书馆报告厅 8 点开门还是 8 点半开门？

四、看图说话 Talk About the Pictures

要求在句子里用上简单趋向补语“来”或“去”

Use Simple Direction Complements “来” or “去” in Your Sentences

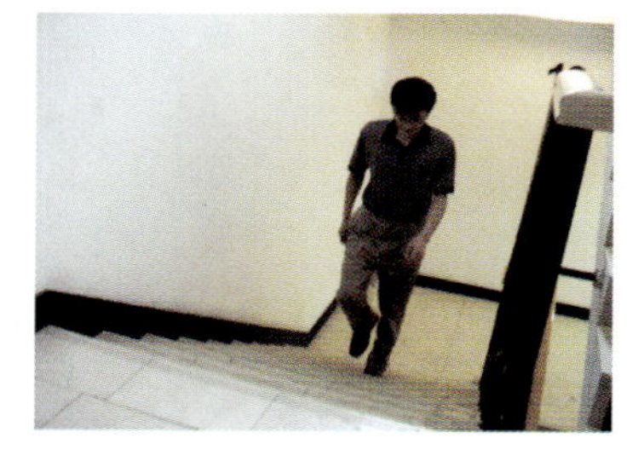

英文翻译 English Translation

(Anna wants to withdraw money from the bank, but she does not know how to go through the formalities, so she turns to Ma Li for help.)

Anna : I have deposited money in the bank, do you know how to withdraw it?

Ma Li: Is it a checking account or savings account?

Anna : I do not know. Look, this is the bankbook.

Ma Li: It is a checking account. You can go to the bank to fill in a form.

Anna : What is in the form?

Ma Li: Write down your name, your account number, the amount of money you want to withdraw, then give it to a bank clerk. That will do.

Anna : You say it with ease. Last time they asked me a question, and I did not understand.

Ma Li: This time you will. You have studied Chinese for six months, and surely you understand a lot of Chinese words.

Anna : I am still afraid. Can you come with me?

Ma Li: All right. But you must go through it yourself first. If you really have difficulties you may turn to me.

Anna : I agree.

Ma Li: Let us go.

第三十六课 在邮局

ān nà de mā ma gěi tā jì lái yí gè bāo guǒ ān nà dào yóu jú qù qǔ bāo guǒ
（安娜的妈妈给她寄来一个包裹，安娜到邮局去取包裹。）

ān nà xiǎo jiě wǒ qǔ bāo guǒ
安　娜：小姐，我取包裹。

zhí yuán nín de bāo guǒ dān gěi wǒ kàn kan
职员A：您的包裹单给我看看。

ān nà zhè shì bāo guǒ dān
安　娜：这是包裹单。

zhí yuán nín dài shén me zhèng jiàn le bǐ rú shuō hù zhào xué shēng zhèng shén me de
职员A：您带什么证件了？比如说护照、学生证什么的？

ān nà wǒ dài hù zhào le
安　娜：我带护照了。

zhí yuán qǐng nín zài bāo guǒ dān shang tián shàng xìng míng hù zhào hào mǎ hé rì qī
职员A：请您在包裹单上填上姓名、护照号码和日期。

ān nà xiě hàn zì ma
安娜：写汉字吗？

zhí yuán duì
职员A：对。

ān nà xiě hǎo le
安娜：写好了。

zhí yuán zhè shì nín de bāo guǒ qǐng ná hǎo
职员A：这是您的包裹，请拿好。

ān nà xiǎo jiě wǒ xiǎng mǎi yì xiē jì niàn yóu piào yǒu xīn fā xíng de ma
安娜：小姐，我想买一些纪念邮票，有新发行的吗？

zhí yuán yǒu zhè tào jì niàn xīn hài gé mìng de jiù shì zuì xīn fā xíng de
职员B：有，这套纪念辛亥革命的就是最新发行的。

ān nà shén me jiào xīn hài gé mìng
安娜：什么叫辛亥革命？

zhí yuán nín zhī dào sūnzhōng shān xiān sheng ma xīn hài gé mìng jiù shì tā lǐng dǎo de
职员B：您知道孙中山先生吗？辛亥革命就是他领导的。

ān nà tǐng yǒu jì niàn yì yì wǒ mǎi liǎng tào ba
安娜：挺有纪念意义，我买两套吧。

36

生词 New Words

1.	邮局(郵局)	*n.*	yóujú	post office
2.	寄(寄)	*v.*	jì	post; mail
3.	包裹(包裹)	*n.*	bāoguǒ	parcel
4.	包裹单(包裹單)	*n.*	bāoguǒdān	parcel form
5.	证件(證件)	*n.*	zhèngjiàn	identification
6.	比如(比如)	*v.*	bǐrú	for example
7.	护照(護照)	*n.*	hùzhào	passport
8.	学生证(學生證)	*n.*	xuéshēngzhèng	student identity card
9.	填(填)	*v.*	tián	fill
10.	日期(日期)	*n.*	rìqī	date
11.	发行(發行)	*v.*	fāxíng	issue
12.	革命(革命)	*v., n.*	gémìng	revolution
13.	先生(先生)	*n.*	xiānsheng	sir; Mr.
14.	套(套)	*m.*	tào	set

专有名词 Proper Nouns

1.	孙中山(孫中山)	Sūn Zhōngshān	Sun Yat-sen
2.	辛亥革命(辛亥革命)	Xīnhài Gémìng	the Revolution of 1911

阅读 Reading

bēi gōng shé yǐng
杯弓蛇影

cóng qián yǒu yí gè rén qǐng péng you chī fàn, chī le fàn yǐ hòu péng
从前有一个人请朋友吃饭，吃了饭以后朋

you jiù bìng dǎo le yú shì dà jiā yì lùn tā dōu yǐ wéi tā shì yǒu
友就病倒了。于是大家议论他，都以为他是有

yì zài hài péng you tā xiǎng jiě shì wù huì kě shì yòu jué de yǒu
意在害朋友。他想解释误会，可是，又觉得有

lǐ shuō bu qīng tā shí fēn ào nǎo
理说不清。他十分懊恼。

yì tiān tā pào le hú chá mèn mèn bú lè de zuò zài péng you chī
一天他泡了壶茶，闷闷不乐地坐在朋友吃

fàn de zuò wèi shang hē qǐ chá lái tā tū rán fā xiàn zì jǐ de
饭的座位上，喝起茶来。他突然发现，自己的

chá bēi lǐ yǒu yì tiáo xiǎo shé zài bǎi dòng tā jué de hěn qí guài zài
茶杯里有一条小蛇在摆动。他觉得很奇怪，再

zǐ xì kàn què fā xiàn nà bú shì shén me xiǎo shé ér shì yì zhāng gōng
仔细看，却发现那不是什么小蛇，而是一张弓

de dào yǐng yuán lái qiáng shang guà le yì zhāng gōng zuò zài péng you chī fàn
的倒影。原来墙上挂了一张弓，坐在朋友吃饭

de wèi zhì gōng de yǐng zi zhèng hǎo luò zài chá bēi lǐ tā mǎ shàng pǎo
的位置，弓的影子正好落在茶杯里。他马上跑

dào péng you jiā shuō míng le yuán yīn tā péng you de bìng yě mǎ shàng jiù
到朋友家，说明了原因，他朋友的病也马上就

hǎo le liǎng rén yòu hé hǎo rú chū le
好了，两人又和好如初了。

英文翻译 English Translation

Extremely Suspicious

Once upon a time, a man invited his friend to dinner, but his friend unexpectedly fell sick after the dinner. People talked about it, and thought he had harmed his friend intentionally. The man wanted to explain, but was afraid his explanation would be unclear. Consequently, the man was very annoyed.

One day, he made a pot of tea and sat on the seat where his friend had sat sulking. Suddenly, he saw a little snake swaying in his cup. He felt very strange. However, when he watched his cup carefully, he found it was not a snake, but the reflection of an archer's bow hanging on the wall. The reflection of the bow fell in the cup of tea at the place where his friend had sat. He ran to his friend immediately to explain. His friend was relieved at once after hearing the explanation, and they were friends as before.

参考词语 Reference Words

1.	病(病)	*adj.*	bìng	sick; ill
2.	倒(倒)	*v.*	dǎo	fall down
3.	议论(議論)	*v.*	yìlùn	talk about
4.	有意(有意)	*adv.*	yǒuyì	with intension; intentionally
5.	害(害)	*v.*	hài	do harm to
6.	解释(解釋)	*v.*	jiěshì	explain
7.	误会(誤會)	*v.*	wùhuì	misunderstand
8.	有理(有理)	*adj.*	yǒulǐ	reasonable
9.	懊恼(懊惱)	*adj.*	àonǎo	annoyed; upset; vexed
10.	泡(泡)	*v.*	pào	steep; soak

11.	壶(壺)	*n.*	hú	kettle; pot
12.	突然(突然)	*adv.*	tūrán	suddenly; abruptly
13.	茶杯(茶杯)	*n.*	chábēi	teacup
14.	蛇(蛇)	*n.*	shé	snake
15.	摆动(擺動)	*v.*	bǎidòng	sway
16.	奇怪(奇怪)	*adj.*	qíguài	strange
17.	仔细(仔細)	*adj.*	zǐxì	careful
18.	而(而)	*conj.*	ér	but; while
19.	弓(弓)	*n.*	gōng	archer's bow
20.	倒影(倒影)	*n.*	dàoyǐng	inverted reflection in the water
21.	原来(原來)	*adv.*	yuánlái	originally
22.	墙(墻)	*n.*	qiáng	wall
23.	正好(正好)	*adv.*	zhènghǎo	just
24.	落(落)	*v.*	luò	fall
25.	说明(説明)	*v.*	shuōmíng	explain; illuminate
26.	原因(原因)	*n.*	yuányīn	reason; cause

成语和常用语 Idioms and Common Expressions

1.	杯弓蛇影(杯弓蛇影)	bēigōngshéyǐng	mistaking the reflection of an archer's bow in the cup for a snake; extremely suspicious
2.	有理说不清(有理説不清)	yǒulǐ shuō bu qīng	cannot make an explanation clear even though the explanation is reasonable
3.	闷闷不乐(悶悶不樂)	mènmènbúlè	depressed; in low spirits

2. 张老师呢？ —— 他在阅览室。

体育馆 图书馆 公司 学校 食堂
地铁 小卖部 银行 动物园

3. 你想买点儿什么？ —— 我想买点儿苹果、荔枝什么的。

点儿 西瓜、香蕉 点儿 黄瓜、土豆 件 衬衣、毛衣
点儿 茶、花生 点儿 蛋糕、蜡烛 条 裙子、裤子
点儿 白菜、冬瓜 点儿 信封、邮票 个 茶杯、茶壶

三、把“在”放入下列句中正确位置

Choose the Correct Position of “在” in the Following Sentences

1. A 王霞 B 清华大学 C 工作 D。______
2. 李晓曼 A 不 B 宿舍 C，她可能 D 图书馆。______
3. 他们 A 全家 B 住 C 离学校 D 不远的一个公寓里。______
4. A 请 B 你把 C 报纸放 D 桌子上。______
5. A 嘉峪关 B 不 C 西安 D。______
6. A 这个会议 B 天津 C 南开大学 D 开。______

英文翻译 English Translation

(Anna went to the post office to pick up a parcel sent by her mother.)

Anna : Miss, I want to pick up my parcel.

Clerk A : Show me your parcel form, please.

Anna : Here it is.

Clerk A : Do you have any identification, such as a passport or a student identity card with you?

Anna : Yes, here is my passport.

Clerk A : Please fill in the form with your name, your passport number, and the date.

Anna : May I write in Chinese?

Clerk A : Yes, you can.

Anna : I have finished it.

Clerk A : This is your parcel. Be careful.

Anna : I want to buy some commemorative stamps. Do you have any newly issued ones?

Clerk B : Yes, this set of stamps was issued to commemorate the Revolution of 1911.

Anna : What is the Revolution of 1911?

Clerk B : Do you know about Dr. Sun Yat-Sen? In the Revolution of 1911, he led the Chinese bourgeois democratic revolution, which pushed China forward.

Anna : It really has a commemorative meaning. I will take two sets.

wén huà de zhōng xīn
文化的中心。

xī ān yōng yǒu xiāng dāng fēng fù de lì shǐ gǔ jì zuì zhù míng de
西安拥有相当丰富的历史古迹，最著名的
yào shǔ qín shǐ huáng de bīng mǎ yǒng le gōng yuán qián èrbǎi nián qín guó
要数秦始皇的兵马俑了。公元前200年，秦国
shí xíng gǎi gé lì liàng yuè lái yuè dà zuì hòu miè diào le qí tā liù
实行改革，力量越来越大，最后灭掉了其他六
gè zhū hóu guó jiàn lì le zhōng guó dì yī gè fēng jiàn guó jiā qín shǐ
个诸侯国，建立了中国第一个封建国家，秦始
huáng zì chēng huáng dì bīng mǎ yǒng jiù shì tā liú gěi hòu rén de yí gè jié
皇自称皇帝。兵马俑就是他留给后人的一个杰
zuò nà xiē dà xiǎo xiàng zhēn rén yí yàng de táo yǒng shēn chuān zhàn páo
作。那些大小像真人一样的陶俑，身穿战袍，
shǒu wò bīng qì pái liè zài yì qǐ nán guài yǒu rén shuō tā shì shì jiè
手握兵器，排列在一起。难怪有人说它是世界
dì bā dà qí jì
第八大奇迹。

chú cǐ yǐ wài gǔ chéng xī ān hái yǒu zhù míng de dà yàn tǎ
除此之外，古城西安还有著名的大雁塔、
bēi lín bàn pō yí jì děng gǔ jì qīn zì dào xī ān kàn yí kàn
碑林、半坡遗迹等古迹。亲自到西安看一看，
jiù néng gǎn shòu dào zhōng huá mín zú yōu jiǔ de lì shǐ hé fēng fù de wén huà
就能感受到中华民族悠久的历史和丰富的文化。

英文翻译 English Translation

Xi'an, an Ancient City

Xi'an is a well-known historical city in China. In the year 200 B.C., Emperor Qin, who united China, built the capital city there. Xi'an was the center of politics, economy, and culture for a very long time in Chinese history.

There are a lot of historical relics in Xi'an. The most famous relic is the Terracotta Soldiers of the Emperor Qin. In the year 200 B.C., Emperor Qin put innovation into practice and developed it greatly, defeating the other six states. He built the first feudal country in China, and called himself the Emperor. The Terracotta Soldiers are his masterpiece left to posterity. The Terracotta Soldiers in war robes are the size of real people with weapons in their hands and all standing in lines. No wonder people say the Terracotta Soldiers can be called the Eighth Wonder of the World.

Apart from the Terracotta Soldiers, there are other famous relics such as the Dayan Tower, the Forest of Steles, and the Banpo Relic Village. Go to Xi'an and have a look yourself, you will feel the centuries-old cultural atmosphere of the Chinese nation.

参考词语 Reference Words

1.	古城(古城)	*n.*	gǔchéng	ancient city
2.	名城(名城)	*n.*	míngchéng	famous city
3.	公元前(公元前)		gōngyuán qián	B.C.
4.	段(段)	*m.*	duàn	*a measure word for a period of time, a paragraph, etc.*
5.	拥有(擁有)	*v.*	yōngyǒu	possess
6.	古迹(古迹)	*n.*	gǔjì	historic site
7.	数(數)	*v.*	shǔ	count
8.	兵马俑(兵馬俑)	*n.*	bīngmǎyǒng	terracotta soldiers and horses of Qin Dynasty

huí yíng fáng qù le lǎo dà niáng de ér zi hé ér xí fu qiān fāng bǎi jì
回营房去了。老大娘的儿子和儿媳妇千方百计
cái dǎ tīng dào sòng mǔ qīn dào jiā de shì bīng jiào léi fēng
才打听到，送母亲到家的士兵叫雷锋。

英文翻译 English Translation

The Story about Lei Feng, a Soldier Hero

One afternoon, Lei Feng, who went out to handle affairs, was on his way back to the barracks when an old lady asked him how to get to Sujiatun, where her son lived. The old lady had her little grandson with her and a big cloth-wrapped bundle on her back. Lei Feng thought that it was still over 40 miles from here to Sujiatun. How could she get there with such a big cloth-wrapped bundle and a little boy? Thinking of this, Lei Feng decided to accompany them there, so he pretended he was going to Sujiatun too in order to make her feel better.

Black clouds emerged soon after they started off. It rained more and more heavily, and it became very difficult to walk. Lei Feng carried the big cloth-wrapped bundle on his back, the boy on one arm, and he helped the old lady with his other arm. They moved forward with much difficultly in the rain. They did not get to the lady's son's home until midnight. Lei Feng put down the cloth-wrapped bundle and went back to the barracks without saying a word. Later, leaving no stone unturned, the old lady's son and daughter-in-law found out that the soldier who brought their mother back home was Lei Feng, the famous soldier hero of China.

参考词语 Reference Words

1.	营房(營房)	*n.*	yíngfáng	barracks
2.	老大娘(老大娘)	*n.*	lǎodàniáng	old lady
3.	包袱(包袱)	*n.*	bāofu	a cloth-wrapped bundle
4.	里(里)	*m.*	lǐ	li *(500 meters)*
5.	决定(決定)	*v., n.*	juédìng	decide; decision
6.	假装(假裝)	*v.*	jiǎzhuāng	pretend
7.	乌云(烏雲)	*n.*	wūyún	dark clouds
8.	涌(湧)	*v.*	yǒng	surge; emerge
9.	抱(抱)	*v.*	bào	hold or carry in the arms
10.	扶(扶)	*v.*	fú	support with the hand
11.	艰难(艱難)	*adj.*	jiānnán	hard; rough
12.	风雨(風雨)	*n.*	fēngyǔ	wind and rain
13.	放(放)	*v.*	fàng	put down
14.	转身(轉身)		zhuǎn shēn	turn about
15.	士兵(士兵)	*n.*	shìbīng	soldier

专有名词 Proper Nouns

1.	雷锋(雷鋒)	Léi Fēng	Lei Feng *(name of a person)*
2.	苏家屯(蘇家屯)	Sūjiātún	Sujiatun *(name of a village)*

成语和常用语 Idioms and Common Expressions

1.	不一会儿(不一會兒)	bù yí huìr	after a while
2.	千方百计(千方百計)	qiānfāngbǎijì	leave no stone unturned

3. 几个儿子挖到钱了吗?

A. 他们没挖到钱

B. 他们挖到很多钱

C. 他们挖到很多水果

4. 老人留给儿子们的是什么东西?

A. 老人要儿子们劳动

B. 老人要儿子们收获水果

C. 老人要儿子们在果园里挖

练习答案

第二十二课　去图书馆

练习 Exercises

三、选择下列副词填入句子中适当位置
Choose the Corresponding Adverbs to Fill in the Following Sentences

很　真　都　还　常　再　就　马上　也

1. 我去还书，（再）借几本书。
2. 我（常）去图书馆。
3. 我每天下午（都）去。
4. 阅览室（很）大，（也）很干净。
5. 那（就）是学校的图书馆。
6. 有中文书，（也）有外文书，这些书（都）可以借。
7. 楼上（还）有视听阅览室。
8. 学生们可以在这里学习电脑知识，（还）可以免费上网。
9. 我喜欢游泳，（也）喜欢滑冰。

第二十三课　介绍北京

练习 Exercises

三、选词填空

Choose the Corresponding Words to Fill in the Sentences

锻炼锻炼　　逛逛　　介绍介绍　　滑滑冰　　游游泳
运动运动　　复习复习　　聊聊天　　休息休息

1. 每天我都要（复习复习）课文。
2. 这个星期我太累了，周末要好好儿（休息休息）。
3. 我喜欢和同学们在一起喝喝茶，（聊聊天）。
4. 请你（介绍介绍）这里的情况。
5. 你应该多（运动运动），比如说，夏天去（游游泳），冬天去（滑滑冰）。
6. 星期天他不忙，可以去（逛逛）公园，（锻炼锻炼）身体。

第二十四课　乘公共汽车

练习 Exercises

三、选择下列介词填入句子中适当位置

Choose the Corresponding Prepositions to Fill in the Following Sentences

从　对　在　给　跟　为　向　由

1. 你(在)哪儿工作？
2. 食宿问题（由）我们统一解决，您不用操心了。

3. 马力走（向）一个摊位，（对）卖菜的人说："这个怎么卖？"
4. 小王有时候（为）一些公司翻译资料，有时候也陪体育代表团。
5. 你这件衣服是（在）哪儿买的？
6. 你（跟）我一起去吧，好不好？
7. 你能（给）我介绍一下儿吗？
8. 我（对）北京的交通一点儿也不清楚。
9. 李晓曼的爸爸妈妈（从）里屋走出来。
10. 我（在）一所大学工作。

第二十七课　谈年龄

练习 Exercises

三、回答下列问题 Answer the Following Questions

1. 你在上海住多了？　我在上海住了5年了。
2. 他多大年纪了？　他今年65了。
3. 北京离上海有远？　有980公里。
4. 北京的冬天有冷？　最低温度零下10度。

第二十八课　家庭宴会

练习 Exercises

三、选择回答问题

Match the Following Questions with the Corresponding Answers

问题　Questions	回答　Answers
你怎么没去旅游？	他们都去过西安了。
你怎么还没睡觉？	大家都不愿意离开。
你怎么自己去西安了？	我对旅游不感兴趣。
你怎么一个人回家了？	小李没邀请我。
你怎么没参加昨天的晚会？	我要复习一下今天学习的课文。

第二十九课　看电影

练习 Exercises

二、看图说话 Talking About the Pictures

外面刮着风。

The wind is blowing outside.

外面下着雨。

It is raining outside.

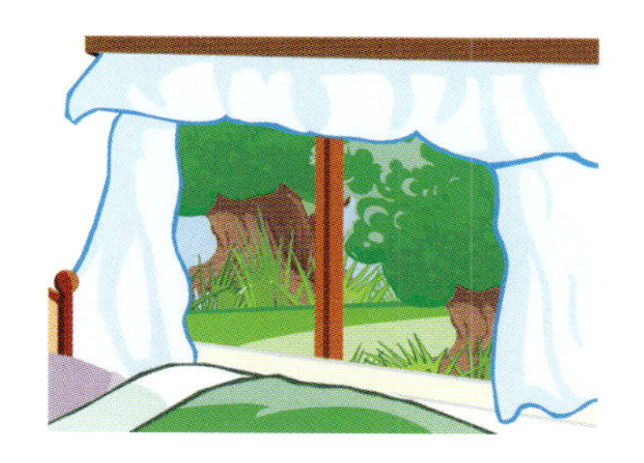

窗户关着。

The windows are closed.

桌子上放着一些书。

There are some books on the table.

墙上挂着一张地图。

There is a map hanging on the wall.

床上放着一把吉他。

A guitar is on the bed.

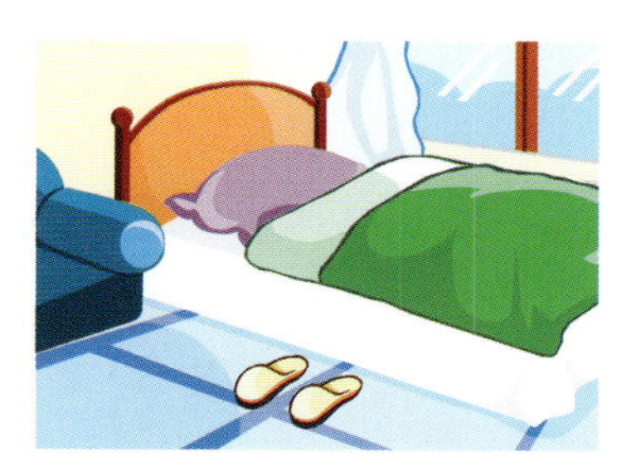

床下放着一双鞋。

There is a pair of shoes under the bed.

第三十课　采摘节

练习 Exercises

三、完成下列对话
Complete the Following Dialogues

1. A: 上周末我给你打电话，没人接，你们去哪儿了？
   B: 我们去商店了。
   A: 你们去干什么了？
   B: 去买东西了。

2. A: 星期天你出去玩儿了吗？
   B: 我、王海涛和几个朋友去玩儿了。
   A: 张文去没去？
   B: 他没去。

3. A: 听说你想去上海，去了没有？
   B: 还没有。
   A: 什么时候去？
   B: 下周。

4. A: 今天下午你去商店吗？
   B: 不去，我昨天已经去过了。

5. A: 你买《英汉辞典》了吗？
   B: 还没买。
   A: 你什么时候去买？
   B: 明天。

练习 Exercises

三、将下列括号里的词语放在适当的位置

Put the Words in Brackets into Their Proper Places

1. A　2. C　3. A　4. D

5. B, C　6. C　7. D　8. A　9. C

第三十二课 谈工作

练习 Exercises

三、将下列句子改写成时间补语的表达形式

Rewrite the Following Sentences with Time Complements

1. 马力来北京已经两年了。
2. 我要复习一个小时课文。
3. 这本书已经出版一年了。
4. 雨下了两天。
5. 考试考了两个半小时。
6. 安娜已经出去六个小时了。
7. 报告作了两个小时。

第三十四课　谈天气

练习 Exercises

二、请参考下列词语，用“一……就……”造句
Make Sentences with “一……就……” Using the Following Words

1. 一下班就回家。
2. 一回家就吃饭。
3. 一到北京就给妈妈打电话。
4. 这个菜很容易做，一学就会。
5. 一到周末，他就回家。
6. 一刮风，房间里就脏。

第三十五课　去银行

练习 Exercises

三、问答　Answer the Questions

1. 她是英国人 / 美国人。
2. 我今天 / 明天去西安。
3. 会议在北京大学 / 天津南开大学开。
4. 我去图书馆借书 / 还书。
5. 他们在电脑教室学习电脑知识 / 上网。
6. 在紫竹院 / 动物园换车。
7. 我们 26 号 /27 号考试。
8. 国家图书馆 8 点 /8 点半开门。

四、看图说话 Talk About the Pictures

要求在句子里用上简单趋向补语“来”或“去”

Use Simple Direction Complements “来” or “去” in Your Sentences

他走下楼去了。

他走下楼来了。

他走出图书馆去了。

他走出图书馆来了。

他走出教学楼去了。

他走出教学楼来了。

他走出办公楼去了。

他走出办公楼来了。

他走上楼去了。

他走上楼来了。

汽车开过来了。

汽车开过去了。

第三十六课 在邮局

练习 Exercises

三、把"在"放入下列句中正确位置
Choose the Correct Position of "在" in the Following Sentences

1. B　2. B，D　3. C　4. D　5. C　6. B

第三十七课 课程

练习 Exercises

三、用下列词语填空 Fill in the Blanks with the Following Words

什么　多少　几　谁　哪儿　哪
哪个　怎么　什么时候　多长时间

1. 这些钱给你，你想买（什么）就买点儿（什么）吧。
2. 老师教（什么／多少），我就学（什么／多少）。
3.（谁）想吃香蕉，（谁）就去买。
4.（哪儿）没去过，就去（哪儿）。
5. 想活动（几／多少）分钟，就活动（几／多少）分钟。
6. 你（什么）时候动身，我就（什么）时候送你。
7. 你想（什么时候）去长城，就（什么时候）去，我没关系。
8. 从这儿去天安门坐车、骑自行车都很方便，你想（怎么）去，就（怎么）去。

9. 这两个茶壶都很漂亮，你喜欢（哪个），就买（哪个）。
10. 这几本书差不多，你想买（哪）本，就买（哪）本。
11. 这次去云南，你想玩儿（多长时间），就玩儿（多长时间），不着急。

第三十八课　在山东旅游

练习 Exercises

三、将下列词语填入句子中适当的位置
Complete the Following Sentences by Choosing the Proper Words

紧张　远　可惜　饿　累　酸　忙

1. 早上没吃饭，现在有点儿（饿）了。
2. 走了半小时才到，你家离学校有点儿（远）。
3. 又要上课，又要准备考试，这几天有点儿（忙）。
4. 这种苹果有点儿（酸）。
5. 考试的时候我有点儿（紧张）。
6. 逛了一天的街，有点儿（累）了。
7. 这条裤子才穿了一个星期，有点儿（可惜）。

第三十九课　中国

练习 Exercises

三、请用“越来越……”和括号中的词语完成下列句子

Complete the Following Sentences with the Words in the Brackets in the “越来越……” Pattern

1. 安娜学习很努力，她的中文越来越好。
2. 冬天来了，天气越来越冷。
3. 他来北京半年了，越来越习惯这儿的生活。
4. 外边雨下得越来越大，我们不能去商店了。
5. 她越来越喜欢吃中国菜。

四、将下列词语排列成正确的句子

Arrange the Following Words into Correct Sentences

1. 雷锋假装说自己也去苏家屯。
2. 突然乌云涌了上来，不一会儿就下起了雨。
3. 雷锋什么也没说，转身就回营房去了。
4. 西藏是世界上最高的地方。
5. 每年都有很多游客去神奇的西藏旅行。

第四十课　综合测验

听力部分　Listening

一、听录音并填写出数字
Listen to the Recording and Fill in the Blanks with Numbers

1. 2003 年 5 月 30 号
2. 2004 年 7 月 15 号
3. 2005 年 2 月 20 号
4. 2002 年 3 月 4 号
5. 1990 年 1 月 19 号
6. 1949 年 10 月 1 号
7. 1988 年 12 月 25 号
8. 2003 年 6 月 28 号
9. 2004 年 11 月 11 号
10. 2004 年 4 月 29 号
11. 9456
12. 201
13. 5847200
14. 32590014
15. 358901023
16. 7820002

17. 198355877
18. 98075623
19. 32000048
20. 3201897

二、根据录音和问题填写出数字
Fill in the Blanks with Numbers According to the Recording and the Questions

1.（ 14岁 ）——老王的孩子明年15岁。
问题：老王的孩子今年多大了？

2.（ 3块钱 ）——一斤白菜三毛钱。
问题：十斤白菜多少钱？

3.（ 13块6毛 ）——西瓜5块6，荔枝8块钱。
问题：一共多少钱？

4.（ 3个小时 ）——我们每天上午8点半上课，11点半下课。
问题：每天上多长时间的课？

5.（ 6天 ）——小王这个星期三去西安，下个星期二回来。
问题：他去西安多长时间？

6.（223块2毛）—— 一斤茶55块8，我买了4斤。
问题：一共花了多少钱？

7.（5斤）—— 桃子2块8一斤，小李只有15块。
问题：他能买多少桃子？

8.（17块4）—— 这套纪念邮票5块8，我买了一套，
还给我哥哥买了两套。
问题：他一共花了多少钱？

9.（10分钟）—— 从我们学校去北京大学坐公共汽车要个小
时，骑车要20分钟。
问题：骑车比坐公共汽车快多少？

10.（一年）—— 我在美国学了半年汉语，后来又在中国
学了半年汉语。
问题：你一共学了多长时间汉语？

三、听录音并找出最恰当的图片作为答案

Listen to the Recording and Choose the Right Picture as the Answer

（一）

A: 我要买三条黄瓜，多少钱一斤？

B: 黄瓜两块钱一斤。

A: 那么贵，那我要点儿西红柿吧。西红柿酸吗？

B: 有点儿酸。

A: 我不能吃酸的，还是买块儿冬瓜吧。

问题：最后他买了什么？

C.

（二）

赵欣：小李，你去哪儿？

小李：我去图书馆还书。你去哪儿？

赵欣：我回宿舍。

小李：哦，差点忘了，赵欣，张老师让我告诉你，下午三点去办公室开会。

赵欣：现在差不多三点了，那我去了。回头见。

小李：再见！

问题：赵欣去哪儿了？

D.

（三）

A: 你家在什么地方？

B: 北京大学附近。东边有一个商店。

A: 你家是在一个18层大楼里吗？

B: 对，你去过吗？

A: 以前去过那个地方，现在不太清楚了。南边是不是有一个邮局？

B: 不对，北边有一个邮局，南边是体育馆。

问题：他家在什么地方？

C.

（四）

A: 马力的生日晚会你去了吗？

B: 去了。那天大家玩儿得十分开心。

A: 刘新弹吉他了没有？

B: 没有，他背来了手风琴，是李晓曼为大家拉了一首新疆舞曲。

A: 那刘新表演什么了？

B: 他唱了一首歌。

问题：刘新表演了什么节目？

A.

（五）

A：听说刘忠很喜欢打球，是吗？

B：是，篮球、排球、羽毛球，他都喜欢。

A：他常打篮球吗？

B：他家附近有一个体育馆，他下班以后常去打。

A：他打得怎么样？

B：相当不错。

A：他参加北京市篮球俱乐部比赛吗？

B：参加。每年都参加。不过，今年他参加的是排球比赛。

问题：今年刘忠参加了什么比赛？

C.

综合部分 Comprehensive Exercises

一、读后判断下列句子是否正确
Read the Passages and Decide If the Following Sentences Are Correct

1. 邻居家的孩子把斧子丢了。 （不正确）
2. 这个人丢了斧子以后并没有去找。 （不正确）
3. 邻居家的在自己家里找了好几天。 （不正确）
4. 他开始注意邻居家的孩子。 （正　确）
5. 斧子找到了，原来落在院子里了。 （不正确）
6. 斧子找到以前，邻居家的孩子不像偷斧子的。 （不正确）
7. 斧子找到以后，邻居家的孩子像偷斧子的。 （不正确）

二、读后选择正确答案
Read the Following Passages and Choose the Correct Answers

1. 老人给孩子们留下了很多钱吗？

A. 留下了很多

B. 留下了一点儿

C. 什么也没留下

2. 几个儿子为得到钱，做了哪些工作？

A. 他们每天挖果树

B. 他们每天在果园里挖

C. 他们每天收获水果

3. 几个儿子挖到钱了吗？

A. 他们没挖到钱

B. 他们挖到很多钱

C. 他们挖到很多水果

4. 老人留给儿子们的是什么东西？

A. 老人要儿子们劳动

B. 老人要儿子们收获水果

C. 老人要儿子们在果园里挖

C

城里人(城裏人)	*n.*	chénglǐrén	city people	30
城市(城市)	*n.*	chéngshì	city	30
吃饭(吃飯)		chī fàn	eat meals	24
迟到(遲到)	*v.*	chídào	be late for	27
充分(充分)	*adj.*	chōngfèn	fully	26
重孙女(重孫女)	*n.*	chóngsūnnǚ	great-granddaughter	27
重孙子(重孫子)	*n.*	chóngsūnzi	great-grandson	27
出版社(出版社)	*n.*	chūbǎnshè	publishing house	32
出发(出發)	*v.*	chūfā	set out; start off	26
出去(出去)		chū qù	go out	21
出事(出事)		chū shì	have an accident	34
穿(穿)	*v.*	chuān	wear	38
传(傳)	*v.*	chuán	pass; send	31
传递(傳遞)	*v.*	chuándì	deliver	31
创立(創立)	*v.*	chuànglì	create; found	38
吹(吹)	*v.*	chuī	blow	25
春天(春天)	*n.*	chūntiān	spring	30
从来(從來)	*adv.*	cónglái	ever	27
从前(從前)	*n.*	cóngqián	once upon a time	35
促进(促進)	*v.*	cùjìn	promote; accelerate; speed up	30
存折(存折)	*n.*	cúnzhé	bankbook; deposit book	35
寸(寸)	*m.*	cùn	inch	35

感冒(感冒)	*v.*	gǎnmào	catch a cold	24
感受(感受)	*v.*	gǎnshòu	feel	38
刚(剛)	*adv.*	gāng	just; just now	21
高手(高手)	*n.*	gāoshǒu	master-hand; expert	34
高速(高速)	*n.*	gāosù	high speed	31
高中(高中)	*n.*	gāozhōng	senior middle school	37
搞(搞)	*v.*	gǎo	make	25
告诉(告訴)	*v.*	gàosu	tell	21
革命(革命)	*v., n.*	gémìng	revolution	36
格外(格外)	*adv.*	géwài	especially	33
隔(隔)	*v.*	gé	separate; be at a distance from	31
个人(個人)	*n.*	gèrén	individual	32
各(各)	*pron.*	gè	particular; each	30
各地(各地)		gè dì	everywhere	34
各个(各個)	*pron.*	gègè	each; every	31
更(多)(更<多>)	*adv.*	gèng(duō)	even (more)	30
工会(會)	*n.*	gōnghuì	labor union	27
工作人员(工作人員)		gōngzuò rényuán	staff member; employee	35
弓(弓)	*n.*	gōng	archer's bow	36
公共汽车(公共汽車)	*n.*	gōnggòngqìchē	bus	24
公里(公里)	*m.*	gōnglǐ	kilometer	31
公路(公路)	*n.*	gōnglù	highway	31
公益(公益)	*n.*	gōngyì	public welfare	37

公寓(公寓)	*n.*	gōngyù	apartment; flat	28
公元前(公元前)	*n.*	gōngyuán qián	B.C.	38
工夫(工夫)	*n.*	gōngfu	time	37
共同(共同)	*adv.*	gòngtóng	together	30
狗(狗)	*n.*	gǒu	dog	25
够(够)	*v.*	gòu	enough	37
古城(古城)	*n.*	gǔchéng	ancient city	38
古代(古代)	*n.*	gǔdài	ancient times	23
古典(古典)	*adj.*	gǔdiǎn	classical	32
古迹(古迹)	*n.*	gǔjì	historic site	38
刮风(刮風)		guā fēng	blowing wind	30
挂(挂)	*v.*	guà	hang	29
关闭(關閉)	*v.*	guānbì	shut; close	34
关于(關于)	*prep.*	guānyú	about; on; regarding	26
观众(觀衆)	*n.*	guānzhòng	audience; spectator	29
管理(管理)	*v., n.*	guǎnlǐ	manage; run; management	26
广场(廣場)	*n.*	guǎngchǎng	square	23
规模(規模)	*n.*	guīmó	scale	26
国际(國際)	*adj.*	guójì	international	29
国内外(國内外)		guó nèiwài	home and abroad	23
果然(果然)	*adv.*	guǒrán	as a result	40
果实(果實)	*n.*	guǒshí	fruit	30
果园(果園)	*n.*	guǒyuán	orchard	40

H

J

K

L

拉(拉)	*v.*	lā	play(*musical instruments such as accordion and violin*)	25
蜡烛(蠟燭)	*n.*	làzhú	candle	25
蓝天(藍天)	*n.*	lántiān	blue sky	34
狼烟(狼煙)	*n.*	lángyān	fire beacon *(along the border to signal alarm)*	31
老(老)	*n.*	lǎo	the aged	27
老大娘(老大娘)	*n.*	lǎodàniáng	old lady	39
老家(老家)	*n.*	lǎojiā	birth place; homeland	38
雷(雷)	*n.*	léi	thunder	34
类型(類型)	*n.*	lèixíng	kind; type	32
礼物(禮物)	*n.*	lǐwù	gift; present	29
里(里)	*n.*	lǐ	*li(500 meters)*	39
理论(理論)	*n.*	lǐlùn	theory	38
力量(力量)	*n.*	lìliàng	force; power	38
历史(歷史)	*n.*	lìshǐ	history	23
利用(利用)	*v.*	lìyòng	use; make use of	26
联系(聯繫)	*v.*	liánxi	contact; get in touch	21
凉爽(涼爽)	*adj.*	liángshuǎng	be pleasantly cool	30
聊(聊)	*v.*	liáo	chat	33
了解(了解)	*v.*	liǎojiě	know; understand	31
烈日(烈日)	*n.*	lièrì	burning sun	35

N

S

T

套(套)	*m.*	tào	set	36
特别(特别)	*adv.*	tèbié	especially	24
提(提)	*v.*	tí	mention	29
填(填)	*v.*	tián	fill	36
填写(填寫)	*v.*	tiánxiě	fill out	35
跳舞(跳舞)		tiào wǔ	dance	25
同班(同班)	*n.*	tóngbān	in the same class	25
同时(同時)	*adv.*	tóngshí	at the same time; contemporarily	29
同一(同一)	*n.*	tóngyī	same	33
同意(同意)	*v.*	tóngyì	agree; accede	33
统一(統一)	*adj.*	tǒngyī	unitive	21
偷(偷)	*v.*	tōu	steal	40
头(頭)	*n.*	tóu	head	32
突然(突然)	*adv.*	tūrán	suddenly; abruptly	36
图书(圖書)	*n.*	túshū	books	22
脱身(脱身)		tuō shēn	get away	28

W

挖(挖)	*v.*	wā	dig	40
外文(外文)	*n.*	wàiwén	foreign language	22
外语(外語)	*n.*	wàiyǔ	foreign language	22
弯(彎)	*v.*	wān	bend	35
完成(完成)	*v.*	wánchéng	finish	33
晚(晚)	*adj.*	wǎn	late	28
晚会(晚會)	*n.*	wǎnhuì	evening party	25

万(萬)	*num.*	wàn	ten thousand	23
网吧(網吧)	*n.*	wǎngbā	net bar	24
往(往)	*prep.*	wǎng	toward	35
忘(忘)	*v.*	wàng	forget	25
为了(爲了)	*prep.*	wèile	in order to	29
委派(委派)	*v.*	wěipài	assign; appoint	33
未来(未來)	*n.*	wèilái	future	29
喂(喂)	*interj.*	wèi	hello *(used on the telephone)*	21
温度(温度)	*n.*	wēndù	temperature	34
文件(文件)	*n.*	wénjiàn	document; file	32
问(問)	*v.*	wèn	ask	35
问题(問題)	*n.*	wèntí	problem; question	21
握(握)	*v.*	wò	hold	38
乌黑(烏黑)	*adj.*	wūhēi	black; jet-black	32
乌云(烏雲)	*n.*	wūyún	dark clouds	39
无轨电车(無軌電車)	*n.*	wúguǐdiànchē	trolley bus	24
无数(無數)	*adj.*	wúshù	countless; innumerable	23
舞曲(舞曲)	*n.*	wǔqǔ	music for dancing	25
物理(物理)	*n.*	wùlǐ	physics	37
误会(誤會)	*v.*	wùhuì	misunderstand	36

X

吸引(吸引)	*v.*	xīyǐn	attract	26
习惯(習慣)	*v.*	xíguàn	be used to	24

喜悦(喜悅)	*adj.*	xǐyuè	joyous; happy	30
细致(細緻)	*adj.*	xìzhì	delicate	33
下(下)	*adj.*	xià	next*(in time or order)*	21
下雨(下雨)		xià yǔ	rain	30
吓人(嚇人)	*adj.*	xiàrén	frightening	34
夏天(夏天)	*n.*	xiàtiān	summer	30
先生(先生)	*n.*	xiānsheng	sir; Mr.	36
现代(現代)	*adj.*	xiàndài	modern	32
现代化(現代化)	*n.*	xiàndàihuà	modernization	26
现状(現狀)	*n.*	xiànzhuàng	present situation	29
羡慕(羨慕)	*v.*	xiànmù	envy; admire	32
详细(詳細)	*adj.*	xiángxì	detailed	29
享受(享受)	*v.*	xiǎngshòu	enjoy	30
像……(一样) (像……<一樣>)	*prep.*	xiàng……(yíyàng)	be like...	38
消息(消息)	*n.*	xiāoxi	information	31
小品(小品)	*n.*	xiǎopǐn	skit	25
小区(小區)	*n.*	xiǎoqū	residential area	28
小学(小學)	*n.*	xiǎoxué	primary school	31
小组(小組)	*n.*	xiǎozǔ	group	37
校外(校外)	*n.*	xiàowài	outside school	37
笑(笑)	*v.*	xiào	laugh; smile	37
嘻嘻(嘻嘻)	*o.*	xīxī	sound of merry laughter	37
写(寫)	*v.*	xiě	write	35
辛苦(辛苦)	*adj.*	xīnkǔ	back-breaking; toilsome	28
新颖(新穎)	*adj.*	xīnyǐng	novel and original	29

原因(原因)	*n.*	yuányīn	reason; cause	36
院子(院子)	*n.*	yuànzi	courtyard	40
月份(月份)	*n.*	yuèfèn	month	34
阅览(閱覽)	*v.*	yuèlǎn	read	26
阅览室(閱覽室)	*n.*	yuèlǎnshì	the reading room	22
越来越(越來越)	*adv.*	yuèláiyuè	more and more	38
运动员(運動員)	*n.*	yùndòng yuán	athlete	38
运输(運輸)	*v.,n.*	yùnshū	transport	33

Z

再(再)	*adv.*	zài	again	24
糟(糟)	*adj.*	zāo	bad; terrible	21
早(早)	*adj.*	zǎo	early	26
早晨(早晨)	*n.*	zǎochen	morning	33
早退(早退)	*v.*	zǎotuì	leave early	27
展览(展覽)	*v., n.*	zhǎnlǎn	exhibit; exhibition	29
展区(展區)	*n.*	zhǎnqū	exhibition section	29
展厅(展廳)	*n.*	zhǎntīng	exhibition hall	29
占(占)	*v.*	zhàn	occupy	29
战袍(戰袍)	*n.*	zhànpáo	war robe	38
战士(戰士)	*n.*	zhànshì	soldier	31
站(站)	*v.*	zhàn	stand	40
张(張)	*m.*	zhāng	*a measure word for a form, a desk, etc.*	35
长(長)	*v.*	zhǎng	gain; improve; expand	30
长(長)	*v.*	zhǎng	grow	35

账号(賬號)	*n.*	zhànghào	account number	35
找(找)	*v.*	zhǎo	look for; seek	26
这样(這樣)	*pron.*	zhèyàng	in this way	31
真人(真人)	*n.*	zhēnrén	real person	38
整个(整個)	*adj.*	zhěnggè	whole	29
整整(整整)	*adv.*	zhěngzhěng	fully	35
正好(正好)	*adv.*	zhènghǎo	just	36
证件(證件)	*n.*	zhèngjiàn	identification	36
政治(政治)	*n.*	zhèngzhì	politics	23
之一(之一)		zhī yī	one of	39
知识(知識)	*n.*	zhīshi	knowledge	22
只(衹)	*adv.*	zhǐ	only	35
只好(衹好)	*adv.*	zhǐhǎo	have to; be forced to	25
只是(衹是)	*adv.*	zhǐshì	only	37
中间(中間)	*n.*	zhōngjiān	middle	22
中外(中外)	*n.*	zhōngwài	home and abroad	31
中心(中心)	*n.*	zhōngxīn	center	23
终于(終于)	*adv.*	zhōngyú	finally	35
种(種)	*v.*	zhòng	grow	35
重要(重要)	*adj.*	zhòngyào	important	21
周末(周末)	*n.*	zhōumò	weekend	24
周围(周圍)	*n.*	zhōuwéi	around	28
株(株)	*m.*	zhū	*a measure word for a seedling, a tree, etc.*	35
诸侯国(諸侯國)	*n.*	zhūhóuguó	nations under an emperor	38
主(主)	*adj.*	zhǔ	main	29

主管(主管)	*n., v.*	zhǔguǎn	director; in charge of	33
主要(主要)	*adj.*	zhǔyào	main	31
助阵(助陣)		zhù zhèn	cheer	27
注意(注意)	*v.*	zhùyì	pay attention to	40
著名(著名)	*adj.*	zhùmíng	famous; well-known	26
专车(專車)	*n.*	zhuānchē	special car	21
转告(轉告)	*v.*	zhuǎngào	pass on a message	21
转身(轉身)		zhuǎn shēn	turn around	39
准备(準備)	*v.*	zhǔnbèi	be ready to; prepare	24
着(着)	*aux.*	zhe	a structural auxiliary word	29
仔细(仔細)	*adj.*	zǐxì	careful	36
资源(資源)	*n.*	zīyuán	resources	26
自称(自稱)	*v.*	zìchēng	call oneself; declare oneself to be; claim to be	38
自动化(自動化)	*n.*	zìdònghuà	automated; computerized	26
自己(自己)	*pron.*	zìjǐ	self	30
自习(自習)	*v.n.*	zìxí	study by oneself	22
自行车(自行車)	*n.*	zìxíngchē	bicycle	24
总(總)	*adj.*	zǒng	general	32
总是(總是)	*adv.*	zǒngshì	always	35
走路(走路)	*v.*	zǒulù	walk	40
组织(組織)	*v.,n.*	zǔzhī	organize; organization	29
最后(最後)	*adv.*	zuìhòu	at last	33
昨天(昨天)	*n.*	zuótiān	yesterday	33
左右(左右)	*pron.*	zuǒyòu	or so; about; around	31

专有名词
Proper Nouns

A

B

C

D

G

H

J

K

L

M

N

Q

R

S

T

W

X

Y

Z